Collection

Charles Perrault, né en 1628 à Paris, n'est pas seulement l'auteur de *La Belle au bois dormant*, *Cendrillon* ou *Barbe-Bleue*. S'il a été un écrivain précoce, Charles Perrault, comme beaucoup d'hommes de son temps, a d'abord été un homme de loi. Avocat, il entre à vingt-six ans dans l'administration royale où il exerce divers emplois jusqu'en 1671, date à laquelle il devient membre actif de l'Académie française. A cette époque, il écrit des poèmes précieux, comme *La Chambre de justice d'amour*. C'est en littérature qu'il va devoir mener sa plus grande bataille, dans la célèbre «querelle des Anciens et des Modernes» qui l'oppose à Boileau et à ses amis. Il publie des écrits polémiques, mais aussi, en 1697, les *Histoires du temps passé, avec des moralités*, également intitulées *Contes de ma mère l'Oye*. Par peur de la critique, il publie ce recueil sous le nom de son fils !

Le succès de ces récits est immédiat. Après sa mort, survenue le 16 mai 1703, beaucoup furent transcrits – par les frères Grimm, entre autres, au XIXe siècle – mis en musique, ou, bien plus tard, adaptés au cinéma.

Gustave Doré est né le 6 janvier 1832. Il commence sa carrière d'illustrateur dès l'âge de cinq ans, en dessinant merveilleusement sur ses cahiers d'écolier ! A sept ans, il se passionne pour la musique ; et à l'âge de quinze ans, il publie ses premiers dessins. A partir de 1852, il met son talent au service des plus grands écrivains, Cervantès, Dante, Balzac, La Fontaine... Il meurt le 23 janvier 1883. Dans la collection Folio Junior, vous pouvez le retrouver dans *Les Aventures du baron de Münchhausen* et l'*Histoire de Sindbad le marin*.

Henri Galeron, auteur de la couverture des *Contes de ma mère l'Oye*, est né en 1939 dans les Bouches-du-Rhône. Après des études à l'École des beaux-arts, il illustre un premier livre, en 1973. Depuis cette date, il ne cesse de créer des images, de dessiner des couvertures de livres, de magazines, des pochettes de disques, des affiches... Pour Folio Junior, il a réalisé les couvertures de nombreux livres, parmi lesquels *Le Poney rouge* de John Steinbeck, *Le Lion* de Joseph Kessel ou *Le Chat qui parlait malgré lui* de Claude Roy.

ISBN : 2-07-051416-1
Loi n° 49-956 du 16 juillet 1949
sur les publications destinées à la jeunesse

© Éditions Gallimard, 1988, pour le supplément
© Éditions Gallimard Jeunesse, 1997, pour la présente édition
Dépôt légal : septembre 2006
1er dépôt légal dans la même collection : janvier 1988
Numéro d'édition : 147845
Imprimé en Espagne (Barcelone) par Novoprint

Charles Perrault

Contes de ma mère l'Oye

Illustrations de Gustave Doré

Gallimard

Avant-propos

C'est pour ses enfants que Charles Perrault, bourgeois de Paris (1628-1703), a écrit ses Contes. Mais il est certain qu'il ne voulait pas restreindre son public à ce petit cercle familial.

Perrault est déjà un auteur de renom au moment où est édité *Grisélidis,* en 1691; dans la querelle des Anciens et des Modernes, il s'est déjà illustré. Cela explique peut-être que, membre de l'Académie française depuis 1671, il ait fait publier les *Contes,* jugés comme des textes moins sérieux, sous le nom de son fils, Perrault d'Armancour. Et pourtant si le nom de Charles Perrault est passé jusqu'à nous, et a même franchi nos frontières, c'est exclusivement aux *Contes* qu'il le doit.

Conteur, il s'inscrit dans une longue tradition, qui passe par Boccace. Écrivain, il n'est pas négligeable. Il s'est donné pour maître La Fontaine, le La Fontaine des *Contes* aussi bien que celui des *Fables,* et veut comme lui à la fois instruire et divertir. Fénelon faisait de même quand il écrivait des fables pour son élève, le duc de Bourgogne.

La diversité de leurs centres d'intérêt peut expliquer que les *Contes* de Perrault touchent tous les publics. Récits féeriques, qui ont peut-être leurs sources dans une mythologie universelle, dans l'inconscient collectif, ils nous rapportent des événements surnaturels et des phénomènes de magie, flattant ainsi en nous le goût du merveilleux qui survit à l'enfance proprement dite, et fournissant des aliments à notre imagination. De même effet sont l'étalage du luxe, le tableau des richesses, qui font de l'univers quotidien des contes de fées un univers somptueux, peuplé de princes et de princesses, vêtus d'habits de rêve, les coffres pleins de pierreries et d'or.

Perrault a su aussi admirablement préserver une part de l'esprit folklorique. Il ne garde des personnages que les éléments les plus simples, les plus frappants, ceux qui les définissent le plus efficacement et restent le mieux dans la mémoire. En mêlant habilement les archaïsmes et les anachronismes, il crée chez ses lecteurs un sentiment de dépaysement propice à la rêverie, et fait appel à leur sens de l'humour, leur donne le plaisir de la complicité.

D'un autre côté, on ne peut ignorer que dans les *Contes* transparaissent les réalités de la France de la fin du XVIIᵉ siècle. Non seulement ils nous renseignent sur l'état des campagnes ou les conditions de vie dans un intérieur bourgeois; mais ils nous éclairent sur la situation sociale en général, les rapports des différentes classes qui la constituent, et sur les grands principes ou les grandes idées qui les régissent.

Le même souci de réalisme conduit l'auteur à ne jamais oublier dans le fil de ses récits — et ceci à l'encontre de l'esprit de merveilleux et de féerie — la place de la psychologie. Ses héros ne sont jamais entièrement le jouet des forces surnaturelles, mais conservent un caractère d'humanité qui les rapproche de nous : c'est même le cas de la vieille fée dans *La Belle au bois dormant*.

Enfin, si les *Contes* nous donnent certaines leçons de vertu, parce qu'on y prône le courage, la ténacité, parfois la bonté et le désintéressement, parce que le méchant n'y triomphe jamais du bon, on s'aperçoit très vite que Perrault (en cela très proche de La Fontaine) ne peint pas un monde entièrement vertueux. Ce n'est qu'à force de « sagesse » opportuniste, de sens pratique, de prudence, et de ruses, que les personnages peuvent échapper à la cruauté de leurs ennemis, à l'inhumanité de leurs parents, à la misère et à la faim, quand ce n'est pas à l'appétit monstrueux d'un ogre issu du plus effrayant cauchemar. Partout règne l'argent qui assure la domination des plus riches, et après lequel ne cessent de courir les plus pauvres. Et le bonheur des uns se fait rarement sans le malheur de plusieurs autres, et bien souvent leur mort.

Tout l'art de Perrault consiste donc dans sa sobriété, dans sa volonté de tout égayer, en sachant, à un moment ou à un autre de son récit, nous lancer le clin d'œil de connivence. Cela n'était donc que conte à dormir debout, peau d'âne, conte de ma mère l'oye!

Jacques PRÉVOT.

Préface

La manière dont le Public a reçu les Pièces[1] de ce Recueil, à mesure qu'elles lui ont été données séparément, est une espèce d'assurance qu'elles ne lui déplairont pas en paraissant toutes ensemble. Il est vrai que quelques personnes qui affectent de paraître graves, et qui ont assez d'esprit pour voir que ce sont des Contes faits à plaisir, et que la matière n'en est pas fort importante, les ont regardées avec mépris; mais on a eu la satisfaction de voir que les gens de bon goût n'en ont pas jugé de la sorte.

Ils ont été bien aises de remarquer que ces bagatelles n'étaient pas de pures bagatelles, qu'elles renfermaient une morale utile, et que le récit enjoué dont elles étaient enveloppées, n'avait été choisi que pour les faire entrer plus agréablement dans l'esprit et d'une manière qui instruisît et divertît tout ensemble. Cela devrait me suffire pour ne pas craindre le reproche de m'être amusé à des choses frivoles. Mais comme j'ai affaire à bien des gens qui ne se paient pas de raisons et qui ne peuvent être touchés que par l'autorité et par l'exemple des Anciens, je vais les satisfaire là-dessus.

1. Les différents contes qui constituent le Recueil.

11

Les Fables milésiennes[1] *si célèbres parmi les Grecs, et qui ont fait les délices d'Athènes et de Rome, n'étaient pas d'une autre espèce que les Fables de ce Recueil. L'*Histoire de la Matrone d'Éphèse[2] *est de la même nature que celle de Grisélidis : ce sont l'une et l'autre des Nouvelles, c'est-à-dire, des Récits de choses qui peuvent être arrivées, et qui n'ont rien qui blesse absolument la vraisemblance. La* Fable de Psyché[3], *écrite par Lucien[4] et par Apulée[5], est une fiction toute pure et un conte de Vieille comme celui de* Peau d'Ane. *Aussi voyons-nous qu'Apulée le fait raconter par une vieille femme, à une jeune fille que des voleurs avaient enlevée, de même que celui de* Peau d'Ane *est conté tous les jours à des Enfants par leurs Gouvernantes, et par leurs Grand'mères. La Fable du* Laboureur *qui obtint de Jupiter le pouvoir de faire comme il lui plairait la pluie et le beau temps, et qui en usa de telle sorte, qu'il ne recueillit que de la paille sans aucuns grains, parce qu'il n'avait jamais demandé ni vent, ni froid, ni neige, ni aucun temps semblable; chose nécessaire cependant pour faire fructifier les plantes : cette Fable, dis-je, est de même genre que le* Conte des Souhaits ridicules, *si ce n'est que l'un est sérieux et l'autre comique; mais tous les deux vont à dire que les hommes ne connaissent pas ce qui leur convient, et sont plus heureux d'être conduits par la Providence, que si toutes choses leur succédaient[6] selon qu'ils le désirent.*

1. Il s'agit de contes écrits par un auteur grec du IIᵉ siècle avant J.-C., Aristide de Milet.
2. Conte latin, repris plus tard par La Fontaine, et où il est question d'une jeune veuve qui se console trop vite de la mort de son mari.
3. Histoire mythologique des amours tourmentées de Psyché et de Cupidon.
4. Écrivain grec, irrévérencieux et ironique, du IIᵉ siècle après J.-C.
5. Conteur latin, contemporain de Lucien.
6. Réussissaient.

Je ne crois pas qu'ayant devant moi de si beaux modèles dans la plus sage et la plus docte Antiquité, on soit en droit de me faire aucun reproche. Je prétends même que mes Fables méritent mieux d'être racontées que la plupart des Contes anciens, et particulièrement celui de La Matrone d'Éphèse *et celui de* Psyché, *si l'on les regarde du côté de la Morale, chose principale dans toute sorte de Fables, et pour laquelle elles doivent avoir été faites. Toute la moralité qu'on peut tirer de* La Matrone d'Éphèse *est que souvent les femmes qui semblent les plus vertueuses, le sont le moins, et qu'ainsi il n'y en a presque point qui le soient véritablement.*

Qui ne voit que cette Morale est très mauvaise, et qu'elle ne va qu'à [1] corrompre les femmes par le mauvais exemple, et à leur faire croire qu'en manquant à leur devoir elles ne font que suivre la voie commune. Il n'en est pas de même de la Morale de Grisélidis, *qui tend à porter les femmes à souffrir de leurs maris, et à faire voir qu'il n'y en a point de si brutal ni de si bizarre, dont la patience d'une honnête femme ne puisse venir à bout.*

A l'égard de la Morale cachée dans la Fable de Psyché, *Fable en elle-même très agréable et très ingénieuse, je la comparerai avec celle de* Peau d'Ane *quand je la saurai, mais jusqu'ici je n'ai pu la deviner. Je sais bien que* Psyché *signifie l'Ame; mais je ne comprends point ce qu'il faut entendre par l'Amour qui est amoureux de* Psyché, *c'est-à-dire de l'Ame, et encore moins ce qu'on ajoute, que* Psyché *devait être heureuse, tant qu'elle ne connaîtrait point celui dont elle était aimée, qui était l'Amour, mais qu'elle serait très malheureuse dès le moment qu'elle viendrait à le connaître :*

1. Qu'elle n'aboutit qu'à...

voilà pour moi une énigme impénétrable. *Tout ce qu'on peut dire, c'est que cette Fable de même que la plupart de celles qui nous restent des Anciens, n'ont été faites que pour plaire sans égard aux bonnes mœurs qu'ils négligeaient beaucoup.*

Il n'en est pas de même des contes que nos aïeux ont inventés pour leurs enfants. Ils ne les ont pas contés avec l'élégance et les agréments dont les Grecs et les Romains ont orné leurs Fables; mais ils ont toujours eu un très grand soin que leurs contes renfermassent une morale louable et instructive. Partout la vertu y est récompensée, et partout le vice y est puni. Ils tendent tous à faire voir l'avantage qu'il y a d'être honnête, patient, avisé, laborieux, obéissant, et le mal qui arrive à ceux qui ne le sont pas.

Tantôt ce sont des Fées qui donnent pour don à une jeune fille qui leur aura répondu avec civilité, qu'à chaque parole qu'elle dira, il lui sortira de la bouche un diamant ou une perle; et à une autre fille qui leur aura répondu brutalement, qu'à chaque parole il lui sortira de la bouche une grenouille ou un crapaud. Tantôt ce sont des enfants qui pour avoir bien obéi à leur père ou à leur mère deviennent grands Seigneurs, ou d'autres qui ayant été vicieux et désobéissants, sont tombés dans des malheurs épouvantables.

Quelque frivoles et bizarres que soient toutes ces Fables dans leurs aventures, il est certain qu'elles excitent dans les Enfants le désir de ressembler à ceux qu'ils voient devenir heureux, et en même temps la crainte des malheurs où les méchants sont tombés par leur méchanceté. N'est-il pas louable à des Pères et à des Mères lorsque leurs Enfants ne sont pas encore capables de goûter les vérités solides et dénuées de tous agréments, de les leur faire aimer, et si cela se peut dire, de les leur faire avaler, en les enveloppant dans des récits agréables et proportionnés à la faiblesse de leur âge. Il n'est pas croyable avec quelle avidité ces âmes innocentes, et dont rien n'a encore corrompu la droiture naturelle, reçoivent ces instructions cachées; on les voit dans la tristesse et dans l'abattement, tant que le Héros ou l'Héroïne de Conte sont dans le malheur, et s'écrier de joie quand le temps de leur bonheur arrive; de même qu'après avoir souffert impatiemment la prospérité du méchant ou de la méchante, ils sont ravis de les voir enfin punis comme ils le méritent. Ce sont des semences qu'on jette qui ne produisent d'abord que des mouvements de joie et de tristesse, mais dont il ne manque guère d'éclore de bonnes inclinations.

J'aurais pu rendre mes Contes plus agréables, en y mêlant certaines choses un peu libres[1] dont on a accoutumé de les égayer; mais le désir de plaire ne m'a jamais assez tenté pour violer une loi que je me suis imposée de ne rien écrire qui pût blesser ou la pudeur ou la bienséance. Voici un Madrigal qu'une jeune Demoiselle[2] de beaucoup d'esprit a composé sur ce sujet, et qu'elle a écrit au-dessous du Conte de Peau d'Ane que je lui avais envoyé.

Le Conte de Peau d'Ane est ici raconté
　　　　Avec tant de naïveté,
　　　　Qu'il ne m'a pas moins divertie,
Que quand auprès du feu ma Nourrice ou ma Mie.
Tenaient en le faisant mon esprit enchanté.

---

1. Licencieuses, obscènes.
2. Mlle Lhéritier.

On y voit par endroits quelques traits de Satire,
    Mais qui sans fiel et sans malignité,
A tous également font du plaisir à lire :
Ce qui me plaît encor dans sa simple douceur
        C'est qu'il divertit et fait rire,
        Sans que Mère, Époux, Confesseur,
        Y puissent trouver à redire.

Histoires ou contes du temps passé

AVEC DES MORALITÉS

A MADEMOISELLE [1]

MADEMOISELLE,

On ne trouvera pas étrange qu'un Enfant[2] ait pris plaisir à composer les Contes de ce Recueil, mais on s'étonnera qu'il ait eu la hardiesse de vous les présenter. Cependant, MADEMOISELLE, *quelque disproportion qu'il y ait entre la simplicité de ces Récits, et les lumières de votre esprit, si on examine bien ces Contes, on verra que je ne suis pas aussi blâmable que je le parais d'abord. Ils renferment tous une Morale très sensée, et qui se découvre plus ou moins, selon le gré de pénétration de ceux qui les lisent; d'ailleurs comme rien ne marque tant la vaste étendue d'un esprit, que de pouvoir s'élever en même temps aux plus grandes choses, et s'abaisser aux plus petites, on ne sera point surpris que la même Princesse, à qui la Nature et l'éducation ont rendu familier ce qu'il y a de plus élevé, ne dédaigne pas de prendre plaisir à de semblables*

---

1. Elisabeth Charlotte d'Orléans, nièce de Louis XIV.
2. Ces contes ont été parfois attribués au fils de Perrault.

bagatelles. Il est vrai que ces Contes donnent une image de ce qui se passe dans les moindres Familles, où la louable impatience d'instruire les enfants fait imaginer des Histoires dépourvues de raison, pour s'accommoder à ces mêmes enfants qui n'en ont pas encore; mais à qui convient-il mieux de connaître comment vivent les Peuples, qu'aux Personnes que le Ciel destine à les conduire? Le désir de cette connaissance a poussé des Héros, et même des Héros de votre Race, jusque dans des huttes et des cabanes, pour y voir de près et par eux-mêmes ce qui s'y passait de plus particulier : cette connaissance leur ayant paru nécessaire pour leur parfaite instruction. Quoi qu'il en soit,

MADEMOISELLE,

Pouvais-je mieux choisir pour rendre vraisemblable
    Ce que la Fable a d'incroyable?
    Et jamais Fée au temps jadis
    Fit-elle à jeune Créature,
    Plus de dons, et de dons exquis,
    Que vous en a fait la Nature.

Je suis avec un très profond respect,

MADEMOISELLE,

De VOTRE ALTESSE ROYALE,

Le très humble et très obéissant serviteur,

P. D'ARMANCOUR.

La Belle
au bois dormant

CONTE

Il était une fois un Roi et une Reine, qui étaient si fâchés de n'avoir pas d'enfants, si fâchés qu'on ne saurait dire. Ils allèrent à toutes les eaux [1] du monde, vœux, pèlerinages, menues dévotions, tout fut mis en œuvre, et rien n'y faisait. Enfin pourtant la Reine devint grosse, et accoucha d'une fille : on fit un beau Baptême; on donna pour Marraines à la petite Princesse toutes les Fées qu'on put trouver dans le Pays (il s'en trouva sept), afin que chacune d'elles lui faisant un don, comme c'était la coutume des Fées en ce temps-là, la Princesse eût par ce moyen toutes les perfections imaginables.

Après les cérémonies du Baptême toute la compagnie revint au Palais du Roi, où il y avait un grand festin pour les Fées. On mit devant chacune d'elles un couvert magnifique, avec un étui d'or massif, où il y avait une cuiller, une fourchette, et un couteau de fin or, garnis de diamants et de rubis. Mais comme chacun prenait sa place à table, on vit entrer une vieille Fée qu'on n'avait point priée [2], parce qu'il y avait plus de cinquante

---

1. Certaines « eaux » passaient pour avoir des pouvoirs médicinaux très forts et guérir de la stérilité.
2. Invitée.

ans qu'elle n'était sortie d'une Tour, et qu'on la croyait morte, ou enchantée[1].

Le Roi lui fit donner un couvert, mais il n'y eut pas moyen de lui donner un étui d'or massif, comme aux autres, parce que l'on n'en avait fait faire que sept pour les sept Fées. La vieille crut qu'on la méprisait, et grommela quelques menaces entre ses dents. Une des jeunes Fées, qui se trouva auprès d'elle, l'entendit, et jugeant qu'elle pourrait donner quelque fâcheux don à la petite Princesse, alla dès qu'on fut sorti de table, se cacher derrière la tapisserie[2], afin de parler la dernière, et de pouvoir réparer autant qu'il lui serait possible le mal que la vieille aurait fait.

Cependant les Fées commencèrent à faire leurs dons à la Princesse. La plus jeune lui donna pour don qu'elle serait la plus belle personne du monde, celle d'après qu'elle aurait de l'esprit comme un Ange, la troisième qu'elle aurait une grâce admirable à tout ce qu'elle ferait, la quatrième qu'elle danserait parfaitement bien, la cinquième qu'elle chanterait comme un Rossignol, et la sixième qu'elle jouerait de toutes sortes d'instruments dans la dernière perfection. Le rang[3] de la vieille Fée étant venu, elle dit en branlant la tête, encore plus de dépit que de vieillesse, que la Princesse se percerait la main d'un fuseau, et qu'elle en mourrait.

Ce terrible don fit frémir toute la compagnie, et il n'y eut personne qui ne pleurât. Dans ce moment la jeune Fée sortit de derrière la tapisserie, et dit tout haut ces paroles : « Rassurez-vous, Roi et Reine, votre fille n'en mourra pas; il est vrai que je n'ai pas assez de puissance pour défaire entière-

---

1. Soumise à un sort qui l'empêchait de faire quoi que ce soit.
2. C'est la grande époque des Gobelins.
3. Tour

ment ce que mon ancienne a fait. La Princesse se percera la main d'un fuseau, mais au lieu d'en mourir, elle tombera seulement dans un profond sommeil qui durera cent ans, au bout desquels le fils d'un Roi viendra la réveiller. »

Le Roi, pour tâcher d'éviter le malheur annoncé par la vieille, fit publier aussitôt un Édit, par lequel il défendait à toutes personnes de filer au fuseau, ni d'avoir des fuseaux chez soi sur peine de [1] la vie.

Au bout de quinze ou seize ans, le Roi et la Reine étant allés à une de leurs Maisons de plaisance, il arriva que la jeune Princesse, courant un jour dans le Château, et montant de chambre en chambre, alla jusqu'au haut d'un Donjon, dans un petit galetas [2], où une bonne Vieille était seule à filer sa quenouille. Cette bonne femme n'avait point ouï parler des défenses que le Roi avait faites de filer au fuseau. « Que faites-vous là, ma bonne femme? dit la Princesse. — Je file, ma belle enfant, lui répondit la vieille qui ne la connaissait pas. — Ha! que cela est joli, reprit la Princesse, comment faites-vous? Donnez-moi que je voie si j'en ferais bien autant. » Elle n'eut pas plutôt pris le fuseau, que comme elle était fort vive, un peu étourdie, et que d'ailleurs l'Arrêt des Fées l'ordonnait ainsi, elle s'en perça la main, et tomba évanouie.

La bonne vieille, bien embarrassée, crie au secours : on vient de tous côtés, on jette de l'eau au visage de la Princesse, on la délace, on lui frappe dans les mains, on lui frotte les tempes avec de l'eau de la Reine de Hongrie [3]; mais rien ne la faisait revenir [4].

1. Sous peine de perdre.
2. Grenier, juste sous les toits.
3. Distillation de fleurs de romarin et d'esprit-de-vin, censée avoir un pouvoir de revigoration.
4. De son évanouissement.

Alors le Roi, qui était monté au bruit [1], se souvint de la prédiction des Fées, et jugeant bien qu'il fallait que cela arrivât, puisque les Fées l'avaient dit, fit mettre la Princesse dans le plus bel appartement du Palais, sur un lit en broderie d'or et d'argent; on eût dit d'[2] un Ange, tant elle était belle; car son évanouissement n'avait pas ôté les couleurs vives de son teint : ses joues étaient incarnates, et ses lèvres comme du corail; elle avait seulement les yeux fermés, mais on l'entendait respirer doucement, ce qui faisait voir qu'elle n'était pas morte.

Le Roi ordonna qu'on la laissât dormir en repos, jusqu'à ce que son heure de se réveiller fût venue. La bonne Fée qui lui avait sauvé la vie, en la condamnant à dormir cent ans, était dans le Royaume de Mataquin, à douze mille lieues de là, lorsque l'accident arriva à la Princesse; mais elle en fut avertie en un instant par un petit Nain, qui avait des bottes de sept lieues [3] (c'était des bottes avec lesquelles on faisait sept lieues d'une seule enjambée). La Fée partit aussitôt, et on la vit au bout d'une heure arriver dans un chariot tout de feu, traîné par des dragons. Le Roi lui alla présenter la main à la descente du chariot. Elle approuva tout ce qu'il avait fait, mais comme elle était grandement prévoyante, elle pensa que, quand la Princesse viendrait à se réveiller, elle serait bien embarrassée toute seule dans ce vieux Château : voici ce qu'elle fit.

Elle toucha de sa baguette tout ce qui était dans ce Château (hors le Roi et la Reine), Gouvernantes, Filles d'Honneur, Femmes de Chambre,

---

1. Là où se faisait le bruit.
2. Le français moderne a supprimé « de ».
3. Environ 4 km.

Gentilshommes, Officiers, Maîtres d'Hôtel, Cuisiniers, Marmitons, Galopins [1], Gardes, Suisses, Pages, Valets de pied; elle toucha aussi tous les chevaux qui étaient dans les Écuries avec les Palefreniers, les gros mâtins de basse-cour, et la petite Pouffe, petite chienne de la Princesse, qui était auprès d'elle sur son lit. Dès qu'elle les eut touchés, ils s'endormirent tous, pour ne se réveiller qu'en même temps que leur Maîtresse, afin d'être tous prêts à la servir quand elle en aurait besoin : les broches mêmes qui étaient au feu, toutes pleines de perdrix et de faisans, s'endormirent, et le feu aussi. Tout cela se fit en un moment; les Fées n'étaient pas longues à leur besogne.

Alors le Roi et la Reine, après avoir baisé leur cher enfant sans qu'elle s'éveillât, sortirent du Château, et firent publier des défenses à qui que ce soit d'en approcher. Ces défenses n'étaient pas nécessaires, car il crût dans un quart d'heure, tout autour du parc, une si grande quantité de grands arbres et de petits, de ronces, et d'épines entrelacées les unes dans les autres, que bête ni homme n'y aurait pu passer : en sorte qu'on ne voyait plus que le haut des Tours du Château, encore n'était-ce que de bien loin. On ne douta point que la Fée n'eût encore fait là un tour de son métier, afin que la Princesse, pendant qu'elle dormirait, n'eût rien à craindre des Curieux.

Au bout de cent ans, le Fils du Roi qui régnait alors, et qui était d'une autre famille que la Princesse endormie, étant allé à la chasse de ce côté-là, demanda ce que c'était que les Tours qu'il voyait au-dessus d'un grand bois fort épais; chacun lui répondit selon qu'il en avait ouï parler. Les uns disaient que c'était un vieux Château où il revenait

1. Petits marmitons.

des Esprits; les autres que tous les Sorciers de la Contrée y faisaient leur sabbat [1]. La plus commune opinion était qu'un Ogre y demeurait, et que là il emportait tous les enfants qu'il pouvait attraper, pour les pouvoir manger à son aise, et sans qu'on le pût suivre, ayant seul le pouvoir de se faire un passage au travers du bois.

Le Prince ne savait qu'en croire, lorsqu'un vieux paysan prit la parole, et lui dit : « Mon Prince, il y a plus de cinquante ans que j'ai ouï dire à mon père, qu'il y avait dans ce Château une Princesse, la plus belle qu'on eût su voir; qu'elle y devait dormir cent ans, et qu'elle serait réveillée par le fils d'un Roi, à qui elle était réservée. »

Le jeune Prince à ce discours se sentit tout de feu; il crut sans balancer [2] qu'il mettrait fin à une si belle aventure; et poussé par l'amour et par la gloire, il résolut de voir sur-le-champ ce qui en était. A peine s'avança-t-il vers les bois, que tous ces grands arbres, ces ronces, et ces épines s'écartèrent d'elles-mêmes pour le laisser passer : il marche vers le Château qu'il voyait au bout d'une grande avenue où il entra, et ce qui le surprit un peu, il vit que personne de ses gens ne l'avait pu suivre, parce que les arbres s'étaient rapprochés dès qu'il avait été passé. Il ne laissa pas de continuer son chemin : un Prince jeune et amoureux est toujours vaillant. Il entra dans une grande avant-cour où tout ce qu'il vit d'abord était capable de le glacer de crainte : c'était un silence affreux, l'image de la mort s'y présentait partout, et ce n'était que des corps étendus d'hommes et d'animaux, qui paraissaient morts. Il reconnut pourtant bien au nez bourgeonné, et à la face vermeille des Suisses,

1. Dans la croyance populaire, assemblée nocturne des sorciers le samedi.
2. Hésiter.

qu'ils n'étaient qu'endormis, et leurs tasses, où il y avait encore quelques gouttes de vin, montraient assez qu'ils s'étaient endormis en buvant.

Il passe une grande cour pavée de marbre, il monte l'escalier, il entre dans la salle des Gardes qui étaient rangés en haie, la carabine[1] sur l'épaule, et ronflant de leur mieux. Il traverse plusieurs chambres pleines de Gentilshommes et de Dames, dormant tous, les uns debout, les autres assis; il entre dans une chambre toute dorée, et il vit sur un lit, dont les rideaux étaient ouverts de tous côtés, le plus beau spectacle qu'il eût jamais vu : une Princesse qui paraissait avoir quinze ou seize ans, et dont l'éclat resplendissant avait quelque chose de lumineux et de divin. Il s'approcha en tremblant et en admirant, et se mit à genoux auprès d'elle.

Alors comme la fin de l'enchantement était venue, la Princesse s'éveilla; et le regardant avec des yeux plus tendres qu'une première vue ne semblait le permettre : « Est-ce vous, mon Prince ? lui dit-elle; vous vous êtes bien fait attendre. » Le Prince charmé de ces paroles, et plus encore de la manière dont elles étaient dites, ne savait comment lui témoigner sa joie et sa reconnaissance; il l'assura qu'il l'aimait plus que lui-même. Ses discours furent mal rangés[2], ils en plurent davantage : peu d'éloquence, beaucoup d'amour. Il était plus embarrassé qu'elle, et l'on ne doit pas s'en étonner : elle avait eu le temps de songer à ce qu'elle aurait à lui dire; car il y a apparence (l'Histoire n'en dit pourtant rien) que la bonne Fée, pendant un si long sommeil, lui avait procuré le plaisir des songes agréables. Enfin il y avait quatre heures qu'ils se parlaient, et ils ne s'étaient pas encore

---

1. Petite arquebuse à rouet, archaïque.
2. Arrangés, « tournés ».

dit la moitié des choses qu'ils avaient à se dire.

Cependant tout le Palais s'était réveillé avec la Princesse : chacun songeait à faire[1] sa charge, et comme ils n'étaient pas tous amoureux, ils mouraient de faim; la Dame d'Honneur, pressée comme les autres, s'impatienta, et dit tout haut à la Princesse que la viande[2] était servie. Le Prince aida à la Princesse à se lever; elle était tout habillée et fort magnifiquement; mais il se garda bien de lui dire qu'elle était habillée comme ma mère-grand, et qu'elle avait un collet monté; elle n'en était pas moins belle.

Ils passèrent dans un Salon de miroirs, et y soupèrent, servis par les Officiers de la Princesse; les Violons et les Hautbois jouèrent de vieilles pièces, mais excellentes, quoiqu'il y eût près de cent ans qu'on ne les jouât plus; et après soupé sans perdre de temps, le grand Aumônier les maria dans la Chapelle du Château, et la Dame d'Honneur leur tira le rideau : ils dormirent peu, la Princesse n'en avait pas grand besoin, et le Prince la quitta dès le matin pour retourner à la Ville, où son Père devait être en peine de lui. Le Prince lui dit, qu'en chassant il s'était perdu dans la forêt, et qu'il avait couché dans la hutte d'un Charbonnier, qui lui avait fait manger du pain noir et du fromage. Le Roi son père, qui était bonhomme, le crut, mais sa Mère n'en fut pas bien persuadée, et voyant qu'il allait presque tous les jours à la chasse, et qu'il avait toujours une raison en main pour s'excuser, quand il avait couché deux ou trois nuits dehors, elle ne douta plus qu'il eût quelque amourette : car il vécut avec la Princesse plus de deux ans entiers, et en eut deux enfants, dont le premier qui fut une

1. Remplir.
2. Nourriture, repas.

fille, fut nommée l'Aurore, et le second un fils, qu'on nomma le Jour, parce qu'il paraissait encore plus beau que sa sœur.

La Reine dit plusieurs fois à son fils, pour le faire expliquer, qu'il fallait se contenter [1] dans la vie; mais il n'osa jamais se fier à elle de son secret; il la craignait quoiqu'il l'aimât, car elle était de race ogresse, et le Roi ne l'avait épousée qu'à cause de ses grands biens; on disait même tout bas à la Cour qu'elle avait les inclinations des Ogres, et qu'en voyant passer de petits enfants, elle avait toutes les peines du monde à se retenir de se jeter sur eux; ainsi le Prince ne voulut jamais rien dire.

Mais quand le Roi fut mort, ce qui arriva au bout de deux ans, et qu'il se vit le maître, il déclara publiquement son Mariage, et alla en grande cérémonie quérir la Reine sa femme dans son Château. On lui fit une entrée magnifique dans la Ville Capitale, où elle entra au milieu de ses deux enfants.

Quelque temps après, le Roi alla faire la guerre à l'Empereur Cantalabutte son voisin. Il laissa la Régence du Royaume à la Reine sa mère, et lui recommanda fort sa femme et ses enfants : il devait être à la guerre tout l'Été, et dès qu'il fut parti, la Reine Mère envoya sa Bru et ses enfants à une maison de campagne dans les bois, pour pouvoir plus aisément assouvir son horrible envie. Elle y alla quelques jours après, et dit un soir à son Maître d'Hôtel : « Je veux manger demain à mon dîner la petite Aurore. — Ah! Madame, dit le Maître d'Hôtel... — Je le veux, dit la Reine (et elle le dit d'un ton d'ogresse, qui a envie de manger de la chair fraîche), et je la veux manger à la sauce Robert [2]. »

1. Se satisfaire, se rendre content.
2. Cf. Rabelais. Sauce avec oignons et moutarde.

Ce pauvre homme, voyant bien qu'il ne fallait pas se jouer à [1] une ogresse, prit son grand couteau, et monta à la chambre de la petite Aurore : elle avait pour lors quatre ans, et vint en sautant et en riant se jeter à son col [2], et lui demander du bonbon. Il se mit à pleurer, le couteau lui tomba des mains, et il alla dans la basse-cour couper la gorge à un petit agneau, et lui fit une si bonne sauce, que sa Maîtresse l'assura qu'elle n'avait jamais rien mangé de si bon. Il avait emporté en même temps la petite Aurore, et l'avait donnée à sa femme pour la cacher dans le logement qu'elle avait au fond de la basse-cour.

Huit jours après, la méchante Reine dit à son Maître d'Hôtel : « Je veux manger à mon souper le petit Jour. » Il ne répliqua pas, résolu de la tromper comme l'autre fois; il alla chercher le petit Jour, et le trouva avec un petit fleuret à la main, dont il faisait des armes avec un gros Singe : il n'avait pourtant que trois ans. Il le porta à sa femme qui le cacha avec la petite Aurore, et donna à la place du petit Jour, un petit chevreau fort tendre, que l'Ogresse trouva admirablement bon.

Cela était fort bien allé jusque-là; mais un soir, cette méchante Reine dit au Maître d'Hôtel : « Je veux manger la Reine à la même sauce que ses enfants. » Ce fut alors que le pauvre Maître d'Hôtel désespéra de la pouvoir encore tromper. La jeune Reine avait vingt ans passés, sans compter les cent ans qu'elle avait dormi : sa peau était un peu dure, quoique belle et blanche; et le moyen de trouver dans la Ménagerie une bête aussi dure que cela? Il prit la résolution pour sauver sa vie, de couper la gorge à la Reine, et monta dans sa

1. Attaquer, affronter.
2. Cou.

chambre, dans l'intention de n'en pas faire à deux fois; il s'excitait à la fureur, et entra, le poignard à la main, dans la chambre de la jeune Reine. Il ne voulut pourtant point la surprendre, et il lui dit avec beaucoup de respect, l'ordre qu'il avait reçu de la Reine Mère. « Faites, faites, lui dit-elle, en lui tendant le col; exécutez l'ordre qu'on vous a donné; j'irai revoir mes enfants, mes pauvres enfants que j'ai tant aimés » : elle les croyait morts depuis qu'on les avait enlevés sans lui rien dire.

« Non, non, Madame, lui répondit le pauvre Maître d'Hôtel tout attendri, vous ne mourrez point, et vous ne laisserez pas d'aller revoir vos chers enfants, mais ce sera chez moi où je les ai cachés, et je tromperai encore la Reine, en lui faisant manger une jeune biche en votre place. » Il la mena aussitôt à sa chambre, où, la laissant embrasser ses enfants et pleurer avec eux, il alla accommoder une biche, que la Reine mangea à son souper, avec le même appétit que si c'eût été la jeune Reine : elle était bien contente de sa cruauté, et elle se préparait à dire au Roi à son retour, que les loups enragés avaient mangé la Reine sa femme et ses deux enfants.

Un soir qu'elle rôdait à son ordinaire dans les cours et basses-cours du Château, pour y halener [1] quelque viande fraîche, elle entendit dans une salle basse le petit Jour qui pleurait, parce que la Reine sa mère le voulait faire fouetter, à cause qu'il avait été méchant, et elle entendit aussi la petite Aurore qui demandait pardon pour son frère. L'Ogresse reconnut la voix de la Reine et de ses enfants, et furieuse d'avoir été trompée, elle commanda dès le lendemain au matin, avec une voix épouvantable, qui faisait trembler tout le monde, qu'on apportât

1. Terme de Vénerie : sentir l'odeur du gibier, flairer.

au milieu de la cour une grande cuve, qu'elle fit remplir de crapauds, de vipères, de couleuvres et de serpents, pour y faire jeter la Reine et ses enfants, le Maître d'Hôtel, sa femme et sa servante : elle avait donné ordre de les amener les mains liées derrière le dos.

Ils étaient là, et les bourreaux se préparaient à les jeter dans la cuve, lorsque le Roi qu'on n'attendait pas si tôt, entra dans la cour à cheval : il était venu en poste [1], et demanda tout étonné ce que voulait dire cet horrible spectacle; personne n'osait l'en instruire, quand l'Ogresse, enragée de voir ce qu'elle voyait, se jeta elle-même la tête la première dans la cuve, et fut dévorée en un instant par les vilaines bêtes qu'elle y avait fait mettre. Le Roi ne laissa pas d'en être fâché : elle était sa mère; mais il s'en consola bientôt avec sa belle femme et ses enfants.

MORALITÉ

Attendre quelque temps pour avoir un Époux,
Riche, bien fait, galant et doux,
La chose est assez naturelle,
Mais l'attendre cent ans et toujours en dormant,
On ne trouve plus de femelle
Qui dormît si tranquillement.
La Fable semble encor vouloir nous faire entendre,
Que souvent de l'Hymen les agréables nœuds,
Pour être différés, n'en sont pas moins heureux,
Et qu'on ne perd rien pour attendre;
Mais le sexe, avec tant d'ardeur,
Aspire à la foi conjugale,
Que je n'ai pas la force ni le cœur,
De lui prêcher cette morale.

---

1. Rapidement, de toute la vitesse de son cheval.

Le Petit Chaperon¹ rouge

CONTE

Il était une fois une petite fille de Village, la plus
jolie qu'on eût su voir; sa mère en était folle, et sa
mère-grand plus folle encore. Cette bonne femme
lui fit faire un petit chaperon rouge, qui lui seyait
si bien, que partout on l'appelait le Petit Chaperon
rouge.

Un jour sa mère ayant cuit et fait des galettes, lui
dit : « Va voir comme se porte ta mère-grand, car
on m'a dit qu'elle était malade, porte-lui une galette
et ce petit pot de beurre. » Le Petit Chaperon rouge
partit aussitôt pour aller chez sa mère-grand, qui
demeurait dans un autre Village. En passant dans
un bois elle rencontra compère le Loup, qui eut
bien envie de la manger; mais il n'osa, à cause de
quelques bûcherons qui étaient dans la Forêt. Il
lui demanda où elle allait; la pauvre enfant qui ne
savait pas qu'il est dangereux de s'arrêter à écouter
un Loup, lui dit : « Je vais voir ma Mère-grand, et
lui porter une galette avec un petit pot de beurre
que ma Mère lui envoie. — Demeure-t-elle bien
loin? lui dit le Loup. — Oh! oui, dit le Petit Chaperon rouge, c'est par-delà le Moulin que vous voyez
tout là-bas, là-bas, à la première maison du Village. — Eh bien, dit le Loup, je veux l'aller voir

---

1. Coiffure démodée, sorte de petite bande de velours portée sur l'arrière de la
tête.

43

aussi; je m'y en vais par ce chemin ici, et toi par ce chemin-là, et nous verrons à qui plus tôt y sera. »

Le Loup se mit à courir de toute sa force par le chemin qui était le plus court, et la petite fille s'en alla par le chemin le plus long, s'amusant à cueillir des noisettes, à courir après des papillons, et à faire des bouquets des petites fleurs qu'elle rencontrait.

Le Loup ne fut pas longtemps à arriver à la maison de la mère-grand; il heurte : Toc, toc. « Qui est là? — C'est votre fille, le Petit Chaperon rouge, dit le Loup, en contrefaisant sa voix, qui vous apporte une galette, et un petit pot de beurre que ma Mère vous envoie. » La bonne mère-grand qui était dans son lit à cause qu'elle se trouvait un peu mal, lui cria : « Tire la chevillette [1], la bobinette [2] cherra [3]. » Le Loup tira la chevillette, et la porte s'ouvrit. Il se jeta sur la bonne femme, et la dévora en moins de rien; car il y avait plus de trois jours qu'il n'avait mangé. Ensuite il ferma la porte, et s'alla coucher dans le lit de la mère-grand, en attendant le Petit Chaperon rouge, qui quelque temps après, vint heurter à la porte. Toc, toc. « Qui est là? » Le Petit Chaperon rouge, qui entendit la grosse voix du Loup, eut peur d'abord, mais croyant que sa mère-grand était enrhumée, répondit : « C'est votre fille, le Petit Chaperon rouge, qui vous apporte une galette et un petit pot de beurre que ma Mère vous envoie. » Le Loup lui cria, en adoucissant un peu sa voix : « Tire la chevillette, la bobinette cherra. » Le Petit Chaperon rouge tira la chevillette, et la porte s'ouvrit.

Le Loup, la voyant entrer, lui dit en se cachant dans le lit sous la couverture : « Mets la galette et

1. Clef de bois.
2. Pièce de bois qui fermait les portes.
3. Futur de choir : tombera.

le petit pot de beurre sur la huche[1], et viens te coucher avec moi. » Le Petit Chaperon rouge se déshabille, et va se mettre dans le lit, où elle fut bien étonnée de voir comment sa mère-grand était faite en son déshabillé; elle lui dit : « Ma mère-grand, que vous avez de grands bras! — C'est pour mieux t'embrasser, ma fille. — Ma mère-grand, que vous avez de grandes jambes! — C'est pour mieux courir, mon enfant. — Ma mère-grand, que vous avez de grandes oreilles! — C'est pour mieux écouter, mon enfant. — Ma mère-grand, que vous avez de grands yeux! — C'est pour mieux voir, mon enfant. — Ma mère-grand, que vous avez de grandes dents! — C'est pour te manger. » Et, en disant ces mots, ce méchant Loup se jeta sur le Petit Chaperon rouge, et la mangea.

MORALITÉ

On voit ici que de jeunes enfants,
Surtout de jeunes filles,
Belles, bien faites, et gentilles,
Font très mal d'écouter toute sorte de gens,
Et que ce n'est pas chose étrange,
S'il en est tant que le loup mange.
Je dis le loup, car tous les loups
Ne sont pas de la même sorte :
Il en est d'une humeur accorte,
Sans bruit, sans fiel et sans courroux,
Qui privés[2], complaisants et doux,
Suivent les jeunes Demoiselles
Jusque dans les maisons, jusque dans les ruelles[3];
Mais hélas! qui ne sait que ces loups doucereux,
De tous les loups sont les plus dangereux.

1. Coffre de bois où l'on mettait le pain.
2. Familiers, sans secrets.
3. Espaces entre le lit et le mur, où l'on pouvait installer des sièges.

La
Barbe-bleue

CONTE

Il était une fois un homme qui avait de belles
maisons à la Ville et à la Campagne, de la vaisselle
d'or et d'argent, des meubles [1] en broderie, et des
carrosses tout dorés; mais par malheur cet homme
avait la barbe bleue : cela le rendait si laid et si
terrible, qu'il n'était ni femme ni fille qui ne s'enfuît
de devant lui.

Une de ses Voisines, Dame de qualité, avait
deux filles parfaitement belles. Il lui en demanda
une en Mariage, en lui laissant le choix de celle
qu'elle voudrait lui donner. Elles n'en voulaient
point toutes deux, et se le renvoyaient l'une à
l'autre, ne pouvant se résoudre a prendre un
homme qui eût la barbe bleue. Ce qui les dégoû-
tait [2] encore, c'est qu'il avait déjà épousé plusieurs
femmes, et qu'on ne savait ce que ces femmes
étaient devenues.

La Barbe-bleue, pour faire connaissance, les
mena avec leur mère, et trois ou quatre de leurs
meilleures amies, et quelques jeunes gens du voi-
sinage, à une de ses maisons de Campagne où on
demeura huit jours entiers. Ce n'était que prome-
nades, que parties de chasse et de pêche, que danses
et festins, que collations : on ne dormait point, et

1. Se dit ici de la garniture qui recouvre le mobilier.
2. Repousser, répugner.

on passait toute la nuit à se faire des malices [1] les uns aux autres; enfin tout alla si bien, que la cadette commença à trouver que le Maître du logis n'avait plus la barbe si bleue, et que c'était un fort honnête [2] homme. Dès qu'on fut de retour à la Ville, le Mariage se conclut.

Au bout d'un mois la Barbe-bleue dit à sa femme qu'il était obligé de faire un voyage en Province, de six semaines au moins, pour une affaire de conséquence; qu'il la priait de se bien divertir pendant son absence, qu'elle fît venir ses bonnes amies, qu'elle les menât à la Campagne si elle voulait, que partout elle fît bonne chère. « Voilà, lui dit-il, les clefs des deux grands garde-meubles, voilà celles de la vaisselle d'or et d'argent qui ne sert pas tous les jours, voilà celles de mes coffres-forts, où est mon or et mon argent, celles des cassettes où sont mes pierreries, et voilà le passe-partout de tous les appartements. Pour cette petite clef-ci, c'est la clef du cabinet au bout de la grande galerie de l'appartement bas : ouvrez tout, allez partout, mais pour ce petit cabinet, je vous défends d'y entrer, et je vous le défends de telle sorte, que s'il vous arrive de l'ouvrir, il n'y a rien que vous ne deviez attendre [3] de ma colère. »

Elle promit d'observer [4] exactement tout ce qui lui venait d'être ordonné : et lui, après l'avoir embrassée, il monte dans son carrosse, et part pour son voyage.

Les voisines et les bonnes amies n'attendirent pas qu'on les envoyât quérir pour aller chez la jeune Mariée, tant elles avaient d'impatience de voir toutes les richesses de sa Maison, n'ayant osé

1. Plaisanteries, farces.
2. Au sens du XVIIᵉ siècle : cultivé, poli, et courtois.
3. Idiom. Vous devez tout attendre de.
4. Respecter.

y venir pendant que le Mari y était, à cause de sa barbe bleue qui leur faisait peur. Les voilà aussitôt à parcourir les chambres, les cabinets, les garde-robes, toutes plus belles et plus riches les unes que les autres. Elles montèrent ensuite aux garde-meubles, où elles ne pouvaient assez admirer le nombre et la beauté des tapisseries, des lits, des sophas, des cabinets, des guéridons, des tables et des miroirs, où l'on se voyait depuis les pieds jusqu'à la tête, et dont les bordures, les unes de glace, les autres d'argent et de vermeil doré, étaient les plus belles et les plus magnifiques qu'on eût jamais vues. Elles ne cessaient d'exagérer et d'envier le bonheur de leur amie, qui cependant ne se divertissait point à voir toutes ces richesses, à cause de l'impatience qu'elle avait d'aller ouvrir le cabinet de l'appartement bas.

Elle fut si pressée [1] de sa curiosité, que sans considérer qu'il était malhonnête de quitter sa compagnie, elle y descendit par un petit escalier dérobé, et avec tant de précipitation, qu'elle pensa se rompre le cou deux ou trois fois. Étant arrivée à la porte du cabinet, elle s'y arrêta quelque temps, songeant à la défense que son Mari lui avait faite, et considérant qu'il pourrait lui arriver malheur d'avoir été désobéissante; mais la tentation était si forte qu'elle ne put la surmonter : elle prit donc la petite clef, et ouvrit en tremblant la porte du cabinet.

D'abord elle ne vit rien, parce que les fenêtres étaient fermées; après quelques moments elle commença à voir que le plancher était tout couvert de sang caillé, dans lequel se miraient les corps de plusieurs femmes mortes, et attachées

1. Poussée.

le long des murs. (C'était toutes les femmes que la Barbe-bleue avait épousées et qu'il avait égorgées l'une après l'autre.) Elle pensa mourir de peur, et la clef du cabinet, qu'elle venait de retirer de la serrure, lui tomba de la main. Après avoir un peu repris ses esprits, elle ramassa la clef, referma la porte, et monta à sa chambre pour se remettre un peu, mais elle n'en pouvait venir à bout, tant elle était émue.

Ayant remarqué que la clef du cabinet était tachée de sang, elle l'essuya deux ou trois fois, mais le sang ne s'en allait point; elle eut beau la laver, et même la frotter avec du sablon et avec du grès, il y demeura toujours du sang, car la clef était Fée, et il n'y avait pas moyen de la nettoyer tout à fait : quand on ôtait le sang d'un côté, il revenait de l'autre.

La Barbe-bleue revint de son voyage dès le soir même, et dit qu'il avait reçu des Lettres dans le chemin, qui lui avaient appris que l'affaire pour laquelle il était parti venait d'être terminée à son avantage. Sa femme fit tout ce qu'elle put pour lui témoigner qu'elle était ravie de son prompt retour.

Le lendemain il lui redemanda les clefs, et elle les lui donna, mais d'une main si tremblante, qu'il devina sans peine tout ce qui s'était passé. « D'où vient, lui dit-il, que la clef du cabinet n'est point avec les autres? — Il faut, dit-elle, que je l'aie laissée là-haut sur ma table. — Ne manquez pas, dit la Barbe-bleue, de me la donner tantôt [1]. »

Après plusieurs remises [2], il fallut apporter la clef. La Barbe-bleue, l'ayant considérée, dit à sa femme : « Pourquoi y a-t-il du sang sur cette clef? — Je n'en sais rien, répondit la pauvre femme, plus

1. Tout à l'heure.
2. Renvois à plus tard, retardements.

pâle que la mort. — Vous n'en savez rien, reprit la Barbe-bleue, je le sais bien, moi; vous avez voulu entrer dans le cabinet! Hé bien, Madame, vous y entrerez, et irez prendre votre place auprès des Dames que vous y avez vues. »

Elle se jeta aux pieds de son Mari, en pleurant et en lui demandant pardon, avec toutes les marques d'un vrai repentir de n'avoir pas été obéissante. Elle aurait attendri un rocher, belle et affligée comme elle était; mais la Barbe-bleue avait un cœur plus dur qu'un rocher. « Il faut mourir, Madame, lui dit-il, et tout à l'heure [1]. — Puisqu'il faut mourir, répondit-elle, en le regardant les yeux baignés de larmes, donnez-moi un peu de temps pour prier Dieu. — Je vous donne un demi-quart d'heure, reprit la Barbe-bleue, mais pas un moment davantage. »

Lorsqu'elle fut seule, elle appela sa sœur, et lui dit : « Ma sœur Anne, car elle s'appelait ainsi, monte, je te prie, sur le haut de la Tour, pour voir si mes frères ne viennent point; ils m'ont promis qu'ils me viendraient voir aujourd'hui, et si tu les vois, fais-leur signe de se hâter. » La sœur Anne monta sur le haut de la Tour, et la pauvre affligée lui criait de temps en temps : *« Anne, ma sœur Anne, ne vois-tu rien venir? »* Et la sœur Anne lui répondait : *« Je ne vois rien que le Soleil qui poudroie [2], et l'herbe qui verdoie. »*

Cependant la Barbe-bleue, tenant un grand coutelas à la main, criait de toute sa force à sa femme : « Descends vite, ou je monterai là-haut. — Encore un moment, s'il vous plaît », lui répondit sa femme; et aussitôt elle criait tout bas : *« Anne, ma sœur Anne, ne vois-tu rien venir? »* Et la sœur Anne

---

1. Tout de suite.
2. Réduire (la terre) en poussière (par sa chaleur).

répondait : « *Je ne vois rien que le Soleil qui poudroie, et l'herbe qui verdoie.* »

« Descends donc vite, criait la Barbe-bleue, ou je monterai là-haut. — Je m'en vais », répondit sa femme; et puis elle criait : « *Anne, ma sœur Anne, ne vois-tu rien venir?* — Je vois, répondit la sœur Anne, une grosse poussière qui vient de ce côté-ci. — Sont-ce mes frères? — Hélas, non, ma sœur, c'est un Troupeau de Moutons. — Ne veux-tu pas descendre? criait la Barbe-bleue. — Encore un moment », répondait sa femme; et puis elle criait : « *Anne, ma sœur Anne, ne vois-tu rien venir?* — Je vois, répondit-elle, deux Cavaliers [1] qui viennent de ce côté-ci, mais ils sont bien loin encore... Dieu soit loué! s'écria-t-elle un moment après, ce sont mes frères; je leur fais signe tant que je puis de se hâter. »

La Barbe-bleue se mit à crier si fort que toute la maison en trembla. La pauvre femme descendit, et alla se jeter à ses pieds toute éplorée et toute échevelée. « Cela ne sert de rien, dit la Barbe-bleue, il faut mourir. » Puis la prenant d'une main par les cheveux, et de l'autre levant le coutelas en l'air, il allait lui abattre la tête. La pauvre femme se tournant vers lui, et le regardant avec des yeux mourants, le pria de lui donner un petit moment pour se recueillir. « Non, non, dit-il, et recommande-toi bien à Dieu »; et levant son bras... Dans ce moment on heurta si fort à la porte, que la Barbe-bleue s'arrêta tout court. On ouvrit, et aussitôt on vit entrer deux Cavaliers, qui mettant l'épée à la main, coururent droit à la Barbe-bleue.

Il reconnut que c'était les frères de sa femme, l'un Dragon et l'autre Mousquetaire, de sorte qu'il

1. Gentilshommes qui portent l'épée.

s'enfuit aussitôt pour se sauver[1]; mais les deux frères le poursuivirent de si près, qu'ils l'attrapèrent avant qu'il pût gagner le perron. Ils lui passèrent leur épée au travers du corps, et le laissèrent mort. La pauvre femme était presque aussi morte que son Mari, et n'avait pas la force de se lever pour embrasser ses frères.

Il se trouva que la Barbe-bleue n'avait point d'héritiers, et qu'ainsi sa femme demeura maîtresse de tous ses biens. Elle en employa une partie à marier sa sœur Anne avec un jeune Gentilhomme, dont elle était aimée depuis longtemps; une autre partie à acheter des Charges de Capitaine à ses deux frères; et le reste à se marier elle-même à un fort honnête homme, qui lui fit oublier le mauvais temps qu'elle avait passé avec la Barbe-bleue.

MORALITÉ

La curiosité malgré tous ses attraits,
Coûte souvent bien des regrets;
On en voit tous les jours mille exemples paraître.
C'est, n'en déplaise au sexe, un plaisir bien léger,
Dès qu'on le prend il cesse d'être,
Et toujours, il coûte trop cher.

AUTRE MORALITÉ

Pour peu qu'on ait l'esprit sensé,
Et que du monde on sache le grimoire[2],
On voit bientôt que cette histoire
Est un conte du temps passé;

1. Demeurer sauf, conserver la vie.
2. Livre de magie, livre difficile à déchiffrer.

Il n'est plus d'Époux si terrible,
Ni qui demande l'impossible,
Fût-il malcontent et jaloux.
Près de sa femme on le voit filer doux;
Et de quelque couleur que sa barbe puisse être,
On a peine à juger qui des deux est le maître.

LE MAITRE CHAT
ou
Le Chat botté

CONTE

Un Meunier ne laissa pour tous biens à trois
enfants qu'il avait, que son Moulin, son Ane, et
son Chat. Les partages furent bientôt faits, ni le
Notaire, ni le Procureur[1] n'y furent point appelés.
Ils auraient eu bientôt mangé tout le pauvre patri-
moine. L'aîné eut le Moulin, le second eut l'Ane, et
le plus jeune n'eut que le Chat.

Ce dernier ne pouvait se consoler d'avoir un si
pauvre lot : « Mes frères, disait-il, pourront gagner
leur vie honnêtement[2] en se mettant ensemble;
pour moi, lorsque j'aurai mangé mon Chat, et que
je me serai fait un manchon de sa peau, il faudra
que je meure de faim. »

Le Chat qui entendait ce discours, mais qui
n'en fit pas semblant, lui dit d'un air posé et sérieux : « Ne vous affligez point, mon maître; vous
n'avez qu'à me donner un Sac, et me faire faire une
paire de Bottes pour aller dans les broussailles,
et vous verrez que vous n'êtes pas si mal partagé
que vous croyez. »

Quoique le maître du Chat ne fît pas grand fond[3]
là-dessus, il lui avait vu faire tant de tours de sou-
plesse, pour prendre des Rats et des Souris :

1. Officier de justice, chargé de défendre les intérêts d'une des parties.
2. Raisonnablement, assez bien.
3. Compter (sur), avoir confiance.

comme quand il se pendait par les pieds, ou qu'il se cachait dans la farine pour faire le mort, qu'il ne désespéra pas d'en être secouru dans sa misère.

Lorsque le Chat eut ce qu'il avait demandé, il se botta bravement [1], et mettant son sac à son cou, il en prit les cordons avec ses deux pattes de devant, et s'en alla dans une garenne où il y avait grand nombre de lapins. Il mit du son et des lacerons [2] dans son sac, et s'étendant comme s'il eût été mort, il attendit que quelque jeune lapin, peu instruit encore des ruses de ce monde, vînt se fourrer dans son sac pour manger ce qu'il y avait mis.

A peine fut-il couché, qu'il eut contentement; un jeune étourdi de lapin entra dans son sac, et le maître Chat, tirant aussitôt les cordons, le prit et le tua sans miséricorde.

Tout glorieux de sa proie, il s'en alla chez le Roi et demanda à lui parler. On le fit monter à l'Appartement de Sa Majesté, où étant entré, il fit une grande révérence au Roi, et lui dit : « Voilà, Sire, un Lapin de garenne que Monsieur le Marquis de Carabas (c'était le nom qu'il lui prit en gré [3] de donner à son Maître), m'a chargé de vous présenter de sa part. — Dis à ton Maître, répondit le Roi, que je le remercie, et qu'il me fait plaisir. »

Une autre fois il alla se cacher dans un blé, tenant toujours son sac ouvert, et lorsque deux Perdrix y furent entrées, il tira les cordons, et les prit toutes deux. Il alla ensuite les présenter au Roi, comme il avait fait le Lapin de garenne. Le Roi reçut encore avec plaisir les deux Perdrix, et lui fit donner pour boire.

1. Proprement, élégamment.
2. Laitues sauvages.
3. Plut.

Le Chat continua ainsi pendant deux ou trois mois à porter de temps en temps au Roi du Gibier de la chasse de son Maître. Un jour qu'il sut que le Roi devait aller à la promenade sur le bord de la rivière avec sa fille, la plus belle Princesse du monde, il dit à son Maître : « Si vous voulez suivre mon conseil, votre fortune est faite : vous n'avez qu'à vous baigner dans la rivière à l'endroit que je vous montrerai, et ensuite me laisser faire. »

Le Marquis de Carabas fit ce que son Chat lui conseillait, sans savoir à quoi cela serait bon. Dans le temps qu'il se baignait, le Roi vint à passer, et le Chat se mit à crier de toute sa force : « Au secours, au secours, voilà Monsieur le Marquis de Carabas qui se noie! » A ce cri le Roi mit la tête à la portière, et reconnaissant le Chat qui lui avait apporté tant de fois du Gibier, il ordonna à ses Gardes qu'on allât vite au secours de Monsieur le Marquis de Carabas.

Pendant qu'on retirait le pauvre Marquis de la rivière, le Chat s'approcha du Carrosse, et dit au Roi que, dans le temps que son Maître se baignait, il était venu des Voleurs qui avaient emporté ses habits, quoiqu'il eût crié *au voleur!* de toute sa force; le drôle [1] les avait cachés sous une grosse pierre.

Le Roi ordonna aussitôt aux Officiers de sa Garde-robe d'aller quérir un de ses plus beaux habits pour Monsieur le Marquis de Carabas. Le Roi lui fit mille caresses, et comme les beaux habits qu'on venait de lui donner relevaient sa bonne mine [2] (car il était beau et bien fait de sa personne), la fille du Roi le trouva fort à son gré,

1. Bon compagnon, plaisant et gaillard. Gai luron.
2. Apparence, prestance.

et le Marquis de Carabas ne lui eut pas jeté deux ou trois regards fort respectueux, et un peu tendres, qu'elle en devint amoureuse à la folie.

Le Roi voulut qu'il montât dans son Carrosse, et qu'il fût de la promenade. Le Chat, ravi de voir que son dessein commençait à réussir, prit les devants, et ayant rencontré des Paysans qui fauchaient un Pré, il leur dit : « *Bonnes gens qui fauchez, si vous ne dites au Roi que le pré que vous fauchez appartient à Monsieur le Marquis de Carabas, vous serez tous hachés menu comme chair à pâté.* »

Le Roi ne manqua pas à demander aux Faucheux à qui était ce Pré qu'ils fauchaient. « C'est à Monsieur le Marquis de Carabas », dirent-ils tous ensemble, car la menace du Chat leur avait fait peur.

« Vous avez là un bel héritage, dit le Roi au Marquis de Carabas. — Vous voyez, Sire, répondit le Marquis, c'est un pré qui ne manque point de rapporter abondamment toutes les années. »

Le maître Chat, qui allait toujours devant, rencontra des Moissonneurs, et leur dit : « *Bonnes gens qui moissonnez, si vous ne dites que tous ces blés appartiennent à Monsieur le Marquis de Carabas, vous serez tous hachés menu comme chair à pâté.* » Le Roi, qui passa un moment après, voulut savoir à qui appartenaient tous les blés qu'il voyait. « C'est à Monsieur le Marquis de Carabas », répondirent les Moissonneurs, et le Roi s'en réjouit encore avec le Marquis. Le Chat, qui allait devant le carrosse, disait toujours la même chose à tous ceux qu'il rencontrait; et le Roi était étonné des grands biens de Monsieur le Marquis de Carabas.

Le maître Chat arriva enfin dans un beau Château dont le Maître était un Ogre, le plus riche

qu'on ait jamais vu; car toutes les terres par où le Roi avait passé étaient de la dépendance de ce Château. Le Chat qui eut soin de s'informer qui était cet Ogre, et ce qu'il savait faire, demanda à lui parler, disant qu'il n'avait pas voulu passer si près de son Château, sans avoir l'honneur de lui faire la révérence.

L'Ogre le reçut aussi civilement [1] que le peut un Ogre, et le fit reposer. « On m'a assuré, dit le Chat, que vous aviez le don de vous changer en toute sorte d'Animaux; que vous pouviez par exemple vous transformer en Lion, en Éléphant. — Cela est vrai, répondit l'Ogre brusquement, et pour vous le montrer, vous m'allez voir devenir Lion. » Le Chat fut si effrayé de voir un Lion devant lui, qu'il gagna aussitôt les gouttières, non sans peine et sans péril, à cause de ses bottes qui ne valaient rien pour marcher sur les tuiles.

Quelque temps après, le Chat, ayant vu que l'Ogre avait quitté sa première forme, descendit, et avoua qu'il avait eu bien peur. « On m'a assuré encore, dit le Chat, mais je ne saurais le croire, que vous aviez aussi le pouvoir de prendre la forme des plus petits Animaux, par exemple, de vous changer en un rat, en une souris; je vous avoue que je tiens cela tout à fait impossible. — Impossible? reprit l'Ogre; vous allez voir », et en même temps il se changea en une souris, qui se mit à courir sur le plancher. Le Chat ne l'eut pas plutôt aperçue, qu'il se jeta dessus et la mangea.

Cependant le Roi, qui vit en passant le beau Château de l'Ogre, voulut entrer dedans. Le Chat, qui entendit le bruit du Carrosse, qui passait sur

---

1. Poliment, courtoisement.

le pont-levis, courut au-devant, et dît au Roi : « Votre Majesté soit [1] la bienvenue dans ce Château de Monsieur le Marquis de Carabas. — Comment, Monsieur le Marquis, s'écria le Roi, ce Château est encore à vous! il ne se peut rien [2] de plus beau que cette Cour et que tous ces Bâtiments qui l'environnent; voyons les dedans [3], s'il vous plaît. »

Le Marquis donna la main à la jeune Princesse, et suivant le Roi qui montait le premier, ils entrèrent dans une grande Salle où ils trouvèrent une magnifique collation que l'Ogre avait fait préparer pour ses amis qui le devaient venir voir ce même jour-là, mais qui n'avaient pas osé entrer, sachant que le Roi y était. Le Roi charmé des bonnes qualités de Monsieur le Marquis de Carabas, de même que sa fille qui en était folle, et voyant les grands biens qu'il possédait, lui dit, après avoir bu cinq ou six coups : « Il ne tiendra qu'à vous, Monsieur le Marquis, que vous ne soyez mon gendre. » Le Marquis, faisant de grandes révérences, accepta l'honneur que lui faisait le Roi: et dès le même jour épousa la Princesse. Le Chat devint grand Seigneur, et ne courut plus après les souris, que pour se divertir.

MORALITÉ

Quelque grand que soit l'avantage,
De jouir d'un riche héritage
Venant à nous de père en fils,
Aux jeunes gens pour l'ordinaire,
L'industrie et le savoir-faire
Valent mieux que des biens acquis.

1. En français moderne : *que* votre Majesté soit.
2. Il ne peut rien exister...
3. Intérieur.

AUTRE MORALITÉ

Si le fils d'un Meunier, avec tant de vitesse,
Gagne le cœur d'une Princesse,
Et s'en fait regarder avec des yeux mourants,
C'est que l'habit, la mine et la jeunesse,
Pour inspirer de la tendresse,
N'en sont pas des moyens toujours indifférents.

Les fées

CONTE

Il était une fois une veuve qui avait deux filles; l'aînée lui ressemblait si fort d'humeur et de visage, que qui la voyait, voyait la mère. Elles étaient toutes deux si désagréables et si orgueilleuses qu'on ne pouvait vivre avec elles. La cadette, qui était le vrai portrait de son Père pour la douceur et pour l'honnêteté, était avec cela une des plus belles filles qu'on eût su voir. Comme on aime naturellement son semblable, cette mère était folle de sa fille aînée, et en même temps avait une aversion effroyable pour la cadette. Elle la faisait manger à la Cuisine et travailler sans cesse.

Il fallait entre autre chose[1] que cette pauvre enfant allât deux fois le jour puiser de l'eau à une grande demi-lieue du logis, et qu'elle en rapportât plein une grande cruche. Un jour qu'elle était à cette fontaine, il vint à elle une pauvre femme qui la pria de lui donner à boire. « Oui-dà[2], ma bonne mère », dit cette belle fille; et rinçant aussitôt sa cruche, elle puisa de l'eau au plus bel endroit de la fontaine, et la lui présenta, soutenant toujours la cruche afin qu'elle bût plus aisément. La bonne

1. Aujourd'hui on emploierait plus volontiers le pluriel.
2. Particule d'insistance : certes.

femme ayant bu, lui dit : « Vous êtes si belle, si bonne, et si honnête, que je ne puis m'empêcher de vous faire un don (car c'était une Fée qui avait pris la forme d'une pauvre femme de village, pour voir jusqu'où irait l'honnêteté de cette jeune fille). Je vous donne pour don, poursuivit la Fée, qu'à chaque parole que vous direz, il vous sortira de la bouche ou une Fleur, ou une Pierre précieuse. »

Lorsque cette belle fille arriva au logis, sa mère la gronda de revenir si tard de la fontaine. « Je vous demande pardon, ma mère, dit cette pauvre fille, d'avoir tardé si longtemps », et en disant ces mots, il lui sortit de la bouche deux Roses, deux Perles, et deux gros Diamants. « Que vois-je là! dit sa mère tout étonnée; je crois qu'il lui sort de la bouche des Perles et des Diamants; d'où vient cela, ma fille? » (Ce fut là la première fois qu'elle l'appela sa fille.) La pauvre enfant lui raconta naïvement tout ce qui lui était arrivé, non sans jeter une infinité de Diamants. « Vraiment, dit la mère, il faut que j'y envoie ma fille; tenez, Fanchon, voyez ce qui sort de la bouche de votre sœur quand elle parle; ne seriez-vous pas bien aise d'avoir le même don? Vous n'avez qu'à aller puiser de l'eau à la fontaine, et quand une pauvre femme vous demandera à boire, lui en donner bien honnêtement. — Il me ferait beau voir, répondit la brutale, aller à la fontaine. — Je veux que vous y alliez, reprit la mère, et tout à l'heure. »

Elle y alla, mais toujours en grondant. Elle prit le plus beau Flacon d'argent qui fût dans le logis. Elle ne fut pas plutôt arrivée à la fontaine, qu'elle vit sortir du bois une Dame magnifiquement vêtue, qui vint lui demander à boire. C'était la même Fée qui avait apparu à sa sœur, mais qui avait pris l'air et les habits d'une Princesse, pour voir jusqu'où

irait la malhonnêteté de cette fille. « Est-ce que je suis ici venue, lui dit cette brutale[1] orgueilleuse, pour vous donner à boire? Justement j'ai apporté[2] un Flacon d'argent tout exprès pour donner à boire à Madame? J'en suis d'avis[3], buvez à même[4] si vous voulez. — Vous n'êtes guère honnête, reprit la Fée, sans se mettre en colère. Eh bien, puisque vous êtes si peu obligeante, je vous donne pour don, qu'à chaque parole que vous direz, il vous sortira de la bouche ou un serpent ou un crapaud. »

D'abord que sa mère l'aperçut, elle lui cria : « Hé bien, ma fille! — Hé bien, ma mère! lui répondit la brutale, en jetant deux vipères, et deux crapauds. — O! Ciel, s'écria la mère, que vois-je là? C'est sa sœur qui en est cause, elle me le paiera »; et aussitôt elle courut pour la battre. La pauvre enfant s'enfuit, et alla se sauver dans la Forêt prochaine. Le fils du Roi, qui revenait de la chasse, la rencontra et la voyant si belle, lui demanda ce qu'elle faisait là toute seule et ce qu'elle avait à pleurer. « Hélas! Monsieur, c'est ma mère qui m'a chassée du logis. » Le fils du Roi qui vit sortir de sa bouche cinq ou six Perles, et autant de Diamants, la pria de lui dire d'où cela lui venait. Elle lui conta toute son aventure. Le fils du Roi en devint amoureux, et considérant qu'un tel don valait mieux que tout ce qu'on pouvait donner en mariage à une autre, l'emmena au Palais du Roi son père, où il l'épousa.

Pour sa sœur, elle se fit tant haïr, que sa propre mère la chassa de chez elle; et la malheureuse, après avoir bien couru sans trouver personne qui voulût la recevoir, alla mourir au coin d'un bois.

1. Impoli, mal élevé.
2. On dirait aujourd'hui : j'aurais donc apporté... tout juste et tout exprès pour...
3. Ironique.
4. A même l'eau, à même la fontaine.

MORALITÉ

Les Diamants et les Pistoles [1],
Peuvent beaucoup sur les esprits;
Cependant les douces paroles
Ont encor plus de force, et sont d'un plus grand prix.

AUTRE MORALITÉ

L'Honnêteté coûte des soins,
Et veut un peu de complaisance,
Mais tôt ou tard elle a sa récompense,
Et souvent dans le temps qu'on y pense le moins.

1. Pièces d'or d'Espagne.

Cendrillon
OU
LA PETITE PANTOUFLE
DE VERRE

CONTE

Il était une fois un Gentilhomme qui épousa en secondes noces une femme, la plus hautaine et la plus fière qu'on eût jamais vue. Elle avait deux filles de son humeur, et qui lui ressemblaient en toutes choses. Le Mari avait de son côté une jeune fille, mais d'une douceur et d'une bonté sans exemple : elle tenait cela de sa Mère, qui était la meilleure personne du monde.

Les noces ne furent pas plutôt faites que la Belle-mère fit éclater sa mauvaise humeur; elle ne put souffrir les bonnes qualités de cette jeune enfant, qui rendaient ses filles encore plus haïssables. Elle la chargea des plus viles occupations de la Maison; c'était elle qui nettoyait la vaisselle et les montées [1], qui frottait la chambre de Madame, et celles de Mesdemoiselles ses filles; elle couchait tout au haut de la Maison, dans un grenier, sur une méchante paillasse, pendant que ses sœurs étaient dans des chambres parquetées, où elles avaient des lits des plus à la mode, et des miroirs où elles se voyaient depuis les pieds jusqu'à la tête; la pauvre fille souffrait tout avec patience, et n'osait s'en plaindre à son père qui l'aurait grondée, parce que sa femme le gouvernait [2] entièrement.

1. Escaliers intérieurs.
2. Avait autorité sur.

Lorsqu'elle avait fait son ouvrage, elle s'allait mettre au coin de la cheminée, et s'asseoir dans les cendres, ce qui faisait qu'on l'appelait communément dans le logis Cucendron; la cadette, qui n'était pas si malhonnête que son aînée, l'appelait Cendrillon; cependant Cendrillon, avec ses méchants [1] habits, ne laissait pas d'être cent fois plus belle que ses sœurs, quoique vêtues [2] très magnifiquement.

Il arriva que le Fils du Roi donna un bal, et qu'il en pria toutes les personnes de qualité : nos deux Demoiselles en fûrent aussi priées, car elles faisaient grande figure [3] dans le Pays. Les voilà bien aises et bien occupées à choisir les habits et les coiffures qui leur siéraient le mieux; nouvelle peine pour Cendrillon, car c'était elle qui repassait le linge de ses sœurs et qui godronnait [4] leurs manchettes. On ne parlait que de la manière dont on s'habillerait. « Moi, dit l'aînée, je mettrai mon habit de velours rouge et ma garniture d'Angleterre. — Moi, dit la cadette, je n'aurai que ma jupe ordinaire; mais en récompense je mettrai mon manteau à fleurs d'or, et ma barrière de diamants, qui n'est pas des plus indifférentes. » On envoya quérir la bonne coiffeuse, pour dresser les cornettes [5] à deux rangs, et on fit acheter des mouches [6] de la bonne Faiseuse : elles appelèrent Cendrillon pour lui demander son avis, car elle avait le goût bon. Cendrillon les conseilla le mieux du monde, et s'offrit même à les coiffer; ce qu'elles voulurent bien.

En les coiffant, elles lui disaient : « Cendrillon, serais-tu bien aise d'aller au Bal? — Hélas, Mesde

---

1. Vilains, de mauvaise qualité.
2. Quoiqu'elles fussent vêtues.
3. Faire figure = avoir réputation.
4. Faisait des plis en rond.
5. Sortes de coiffures à cheveux relevés.
6. Petits morceaux de velours noir qui ornent le visage.

moiselles, vous vous moquez de moi, ce n'est pas là
ce qu'il me faut. — Tu as raison; on rirait bien si
on voyait un Cucendron aller au Bal. »

Une autre que Cendrillon les aurait coiffées de
travers; mais elle était bonne, et elle les coiffa
parfaitement bien. Elles furent près de deux jours
sans manger, tant elles étaient transportées de joie.
On rompit plus de douze lacets [1] à force de les
serrer pour leur rendre la taille plus menue, et elles
étaient toujours devant leur miroir.

Enfin l'heureux jour arriva; on partit, et Cendrillon les suivit des yeux le plus longtemps qu'elle
put; lorsqu'elle ne les vit plus, elle se mit à pleurer.
Sa Marraine qui la vit toute en pleurs, lui demanda
ce qu'elle avait. « Je voudrais bien... je voudrais
bien... » Elle pleurait si fort qu'elle ne put achever.
Sa Marraine, qui était Fée, lui dit : « Tu voudrais
bien aller au Bal, n'est-ce pas? — Hélas oui, dit
Cendrillon en soupirant. — Hé bien, seras-tu bonne
fille? dit sa Marraine; je t'y ferai aller. » Elle la
mena dans sa chambre, et lui dit : « Va dans le
jardin et apporte-moi une citrouille. » Cendrillon
alla aussitôt cueillir la plus belle qu'elle put trouver, et la porta à sa Marraine, ne pouvant deviner
comment cette citrouille la pourrait faire aller au
Bal. Sa Marraine la creusa et n'ayant laissé que
l'écorce, la frappa de sa baguette, et la citrouille
fut aussitôt changée en un beau carrosse tout doré.

Ensuite elle alla regarder dans sa souricière, où
elle trouva six souris toutes en vie; elle dit à Cendrillon de lever un peu la trappe de la souricière,
et à chaque souris qui sortait, elle lui donnait un
coup de sa baguette, et la souris était aussitôt
changée en un beau cheval; ce qui fit un bel atte-

1. Lacets de jupe ou de corset.

lage de six chevaux, d'un beau gris de souris pommelé [1].

Comme elle était en peine de [2] quoi elle ferait un Cocher : « Je vais voir, dit Cendrillon, s'il n'y a point quelque rat dans la ratière, nous en ferons un Cocher. — Tu as raison, dit sa Marraine, va voir. » Cendrillon lui apporta la ratière, où il y avait trois gros rats. La Fée en prit un d'entre les trois, à cause de sa maîtresse barbe, et l'ayant touché, il fut changé en un gros Cocher, qui avait une des plus belles moustaches qu'on ait jamais vues.

Ensuite elle lui dit : « Va dans le jardin, tu y trouveras six lézards derrière l'arrosoir, apporte-les moi. » Elle ne les eut pas plus tôt apportés, que la Marraine les changea en six Laquais, qui montèrent aussitôt derrière le carrosse avec leurs habits chamarrés, et qui s'y tenaient attachés, comme s'ils n'eussent fait autre chose toute leur vie.

La Fée dit alors à Cendrillon : « Hé bien, voilà de quoi aller au bal, n'es-tu pas bien aise? — Oui, mais est-ce que j'irai comme cela avec mes vilains habits? » Sa Marraine ne fit que la toucher avec sa baguette, et en même temps ses habits furent changés en des habits de drap d'or et d'argent tout chamarrés de pierreries; elle lui donna ensuite une paire de pantoufles de verre, les plus jolies du monde. Quand elle fut ainsi parée, elle monta en carrosse; mais sa Marraine lui recommanda sur toutes choses de ne pas passer minuit, l'avertissant que si elle demeurait au Bal un moment davantage, son carrosse redeviendrait citrouille, ses chevaux des souris, ses laquais des lézards, et que ses vieux habits reprendraient leur première forme.

1. Au pelage marqué de taches plus sombres.
2. Se demandait, ne savait pas.

Elle promit à sa Marraine qu'elle ne manquerait pas de sortir du Bal avant minuit. Elle part, ne se sentant pas de joie. Le Fils du Roi qu'on alla avertir, qu'il venait d'arriver une grande Princesse qu'on ne connaissait point, courut la recevoir; il lui donna la main à la descente du carrosse, et la mena dans la salle où était la compagnie : il se fit alors un grand silence; on cessa de danser, et les violons ne jouèrent plus, tant on était attentif à contempler les grandes beautés de cette inconnue. On n'entendait qu'un bruit confus : « Ha, qu'elle est belle! » Le Roi même, tout vieux qu'il était, ne laissait pas de la regarder, et de dire tout bas à la Reine, qu'il y avait longtemps qu'il n'avait vu une si belle et si aimable personne. Toutes les Dames étaient attentives à considérer sa coiffure et ses habits, pour en avoir dès le lendemain de semblables, pourvu qu'il se trouvât des étoffes assez belles, et des ouvriers assez habiles.

Le Fils du Roi la mit à la place la plus honorable, et ensuite la prit pour la mener danser : elle dansa avec tant de grâce, qu'on l'admira encore davantage. On apporta une fort belle collation, dont le jeune Prince ne mangea point, tant il était occupé à la considérer[1]. Elle alla s'asseoir auprès de ses sœurs, et leur fit mille honnêtetés : elle leur fit part[2] des oranges et des citrons que le Prince lui avait donnés; ce qui les étonna fort, car elles ne la connaissaient point.

Lorsqu'elles causaient ainsi, Cendrillon entendit sonner onze heures trois quarts : elle fit aussitôt une grande révérence à la compagnie, et s'en alla le plus vite qu'elle put. Dès qu'elle fut arrivée, elle alla trouver sa Marraine, et après l'avoir remerciée,

1. Regarder avec attention.
2. Partagea avec elles.

elle lui dit qu'elle souhaiterait bien aller encore le lendemain au Bal, parce que le Fils du Roi l'en avait priée. Comme elle était occupée à raconter à sa Marraine tout ce qui s'était passé au Bal, les deux sœurs heurtèrent à la porte; Cendrillon leur alla ouvrir. « Que vous êtes longtemps à revenir! » leur dit-elle en bâillant, en se frottant les yeux, et en s'étendant comme si elle n'eût fait que de se réveiller : elle n'avait cependant pas eu envie de dormir depuis qu'elles s'étaient quittées. « Si tu étais venue au Bal, lui dit une de ses sœurs, tu ne t'y serais pas ennuyée : il y est venu la plus belle Princesse, la plus belle qu'on puisse jamais voir; elle nous a fait mille civilités, elle nous a donné des oranges et des citrons. »

Cendrillon ne se sentait pas de joie : elle leur demanda le nom de cette Princesse; mais elles lui répondirent qu'on ne la connaissait pas, que le Fils du Roi en était fort en peine, et qu'il donnerait toutes choses au monde pour savoir qui elle était. Cendrillon sourit et leur dit : « Elle était donc bien belle? Mon Dieu, que vous êtes heureuses, ne pourrais-je point la voir? Hélas, Mademoiselle Javotte, prêtez-moi votre habit jaune que vous mettez tous les jours. — Vraiment, dit Mademoiselle Javotte, je suis de cet avis! prêtez votre habit à un vilain Cucendron comme cela, il faudrait que je fusse bien folle. » Cendrillon s'attendait bien à ce refus, et elle en fut bien aise, car elle aurait été grandement embarrassée si sa sœur eût bien voulu lui prêter son habit.

Le lendemain les deux sœurs furent [1] au Bal, et Cendrillon aussi, mais encore plus parée que la première fois. Le Fils du Roi fut toujours auprès

1. Allèrent.

d'elle, et ne cessa de lui conter des douceurs; la jeune Demoiselle ne s'ennuyait point, et oublia ce que sa Marraine lui avait recommandé; de sorte qu'elle entendit sonner le premier coup de minuit, lorsqu'elle ne croyait pas qu'il fût encore onze heures : elle se leva et s'enfuit aussi légèrement qu'aurait fait une biche. Le Prince la suivit, mais il ne put l'attraper; elle laissa tomber une de ses pantoufles de verre, que le Prince ramassa bien soigneusement. Cendrillon arriva chez elle bien essoufflée, sans carrosse, sans laquais, et avec ses méchants habits, rien ne lui étant resté de toute sa magnificence, qu'une de ses petites pantoufles, la pareille de celle qu'elle avait laissée tomber. On demanda aux Gardes de la porte du Palais s'ils n'avaient point vu sortir une Princesse; ils dirent qu'ils n'avaient vu sortir personne, qu'une jeune fille fort mal vêtue, et qui avait plus l'air d'une Paysanne que d'une Demoiselle.

Quand ses deux sœurs revinrent du Bal, Cendrillon leur demanda si elles s'étaient encore bien diverties, et si la belle Dame y avait été : elles lui dirent que oui, mais qu'elle s'était enfuie lorsque minuit avait sonné, et si promptement qu'elle avait laissé tomber une de ses pantoufles de verre, la plus jolie du monde; que le Fils du Roi l'avait ramassée, et qu'il n'avait fait que la regarder pendant tout le reste du Bal, et qu'assurément il était fort amoureux de la belle personne à qui appartenait la petite pantoufle.

Elles dirent vrai, car peu de jours après, le Fils du Roi fit publier à son de trompe, qu'il épouserait celle dont le pied serait bien juste à la pantoufle. On commença à l'essayer aux Princesses, ensuite aux Duchesses, et à toute la Cour, mais inutilement. On l'apporta chez les deux sœurs, qui firent tout leur possible pour faire entrer leur pied dans la pantoufle, mais elles ne purent en venir à bout. Cendrillon qui les regardait, et qui reconnut sa pantoufle, dit en riant : « Que je voie si elle ne me serait pas bonne [1] ! » Ses sœurs se mirent à rire et à se moquer d'elle. Le Gentilhomme qui faisait l'essai de la pantoufle, ayant regardé attentivement Cendrillon, et la trouvant fort belle, dit que cela était juste, et qu'il avait l'ordre de l'essayer à toutes les filles. Il fit asseoir Cendrillon, et approchant la pantoufle de son petit pied, il vit qu'elle y entrait sans peine, et qu'elle y était juste comme de cire [2]. L'étonnement des deux sœurs fut grand, mais plus grand encore quand Cendrillon tira de sa poche l'autre petite pantoufle qu'elle mit à son pied. Là-dessus arriva la Marraine, qui ayant donné un coup de sa baguette sur les habits de Cendrillon, les fit devenir encore plus magnifiques que tous les autres.

Alors ses deux sœurs la reconnurent pour la belle personne qu'elles avaient vue au Bal. Elles se jetèrent à ses pieds pour lui demander pardon de tous les mauvais traitements qu'elles lui avaient fait souffrir. Cendrillon les releva, et leur dit en les embrassant, qu'elle leur pardonnait de bon cœur, et qu'elle les priait de l'aimer bien toujours. On la mena chez le jeune Prince, parée comme elle était. Il la trouva encore plus belle que jamais, et peu de jours après, il l'épousa. Cendrillon, qui était aussi bonne que belle, fit loger ses deux sœurs au Palais, et les maria dès le jour même à deux grands Seigneurs de la Cour.

1. Ne m'irait pas.
2. Comme sur mesure (moulée à la cire).

MORALITÉ

La beauté pour le sexe est un rare trésor,
De l'admirer jamais on ne se lasse;
Mais ce qu'on nomme bonne grâce,
Est sans prix et vaut mieux encor.
C'est ce qu'à Cendrillon fit avoir sa Marraine,
En la dressant[1], en l'instruisant,
Tant et si bien qu'elle en fit une Reine :
(Car ainsi sur ce conte on va moralisant.)

Belles, ce don vaut mieux que d'être bien coiffées,
Pour engager[2] un cœur, pour en venir à bout,
La bonne grâce est le vrai don des Fées;
Sans elle on ne peut rien, avec elle, on peut tout.

AUTRE MORALITÉ

C'est sans doute un grand avantage,
D'avoir de l'esprit, du courage,
De la naissance, du bon sens,
Et d'autres semblables talents
Qu'on reçoit du Ciel en partage;
Mais vous aurez beau les avoir,
Pour votre avancement[3] ce seront choses vaines,
Si vous n'avez, pour les faire valoir,
Ou des Parrains ou des Marraines.

1. Éduquant.
2. Séduire, saisir.
3. Progrès d'une entreprise, succès d'un projet.

Riquet
à la Houppe

CONTE

Il était une fois une Reine qui accoucha d'un fils, si laid et si mal fait, qu'on douta longtemps s'il avait forme humaine. Une Fée, qui se trouva à sa naissance, assura qu'il ne laisserait pas d'être aimable, parce qu'il aurait beaucoup d'esprit; elle ajouta même qu'il pourrait, en vertu du don qu'elle venait de lui faire, donner autant d'esprit qu'il en aurait, à la personne qu'il aimerait le mieux.

Tout cela consola un peu la pauvre Reine, qui était bien affligée d'avoir mis au monde un si vilain marmot. Il est vrai que cet enfant ne commença pas plutôt à parler, qu'il dit mille jolies choses, et qu'il avait dans toutes ses actions je ne sais quoi de si spirituel, qu'on en était charmé. J'oubliais de dire qu'il vint au monde avec une petite houppe de cheveux sur la tête, ce qui fit qu'on le nomma Riquet à la Houppe, car Riquet était le nom de la famille.

Au bout de sept ou huit ans, la Reine d'un Royaume voisin accoucha de deux filles; la première qui vint au monde était plus belle que le jour : la Reine en fut si aise, qu'on appréhenda que la trop grande joie qu'elle en avait ne lui fît mal. La même Fée qui avait assisté à la naissance du petit Riquet à la Houppe était présente, et pour modérer la joie de la Reine, elle lui déclara que cette petite Princesse n'aurait point d'esprit, et qu'elle serait aussi stupide qu'elle était belle. Cela mortifia beaucoup la Reine; mais elle eut quelques moments après un bien plus grand chagrin, car la seconde fille dont elle accoucha se trouva extrêmement laide. « Ne vous affligez point tant, Madame, lui dit la Fée; votre fille sera récompensée [1] d'ailleurs [2], et elle aura tant d'esprit, qu'on ne s'apercevra presque pas qu'il lui manque de la beauté. — Dieu le veuille, répondit la Reine, mais n'y aurait-il point moyen de faire avoir un peu d'esprit à l'aînée qui est si belle? — Je ne puis rien pour elle, Madame, du côté de l'esprit, lui dit la Fée; mais je puis tout du côté de la beauté; et comme il n'y a rien que je ne veuille faire pour votre satisfaction, je vais lui donner pour don de pouvoir rendre beau ou belle la personne qui lui plaira. »

A mesure que ces deux Princesses devinrent grandes, leurs perfections crûrent aussi avec elles, et on ne parlait partout que de la beauté de l'aînée, et de l'esprit de la cadette. Il est vrai aussi que leurs défauts augmentèrent beaucoup avec l'âge. La cadette enlaidissait à vue d'œil, et l'aînée devenait plus stupide de jour en jour : ou elle ne répondait rien à ce qu'on lui demandait, ou elle disait une sottise. Elle était avec cela si maladroite qu'elle n'eût pu ranger quatre Porcelaines sur le bord d'une cheminée sans en casser une, ni boire un verre d'eau sans en répandre la moitié sur ses habits.

Quoique la beauté soit un grand avantage dans une jeune personne, cependant la cadette l'emportait presque toujours sur son aînée dans toutes

1. Indemnisée, dédommagée.
2. D'un autre côté, d'une autre façon.

les Compagnies. D'abord on allait du côté de la plus belle pour la voir et pour l'admirer, mais bientôt après, on allait à celle qui avait le plus d'esprit, pour lui entendre dire mille choses agréables; et on était étonné qu'en moins d'un quart d'heure l'aînée n'avait plus personne auprès d'elle, et que tout le monde s'était rangé autour de la cadette. L'aînée, quoique fort stupide, le remarqua bien, et elle eût donné sans regret toute sa beauté pour avoir la moitié de l'esprit de sa sœur. La Reine, toute sage qu'elle était, ne put s'empêcher de lui reprocher plusieurs fois sa bêtise, ce qui pensa faire mourir de douleur cette pauvre Princesse.

Un jour qu'elle s'était retirée dans un bois pour y plaindre son malheur, elle vit venir à elle un petit homme fort laid et fort désagréable, mais vêtu très magnifiquement. C'était le jeune Prince Riquet à la Houppe, qui étant devenu amoureux d'elle sur ses Portraits qui couraient par tout le monde, avait quitté le Royaume de son père pour avoir le plaisir de la voir et de lui parler. Ravi de la rencontrer ainsi toute seule, il l'aborde avec tout le respect et toute la politesse imaginables. Ayant remarqué, après lui avoir fait les compliments ordinaires, qu'elle était fort mélancolique, il lui dit : « Je ne comprends point, Madame, comment une personne aussi belle que vous l'êtes, peut être aussi triste que vous le paraissez; car quoique je puisse me vanter d'avoir vu une infinité de belles personnes, je puis dire que je n'en ai jamais vu dont la beauté approche de la vôtre. — Cela vous plaît à dire, Monsieur, lui répondit la Princesse, et en demeura là. — La beauté, reprit Riquet à la Houppe, est si grand avantage, qu'il doit tenir lieu de tout le reste; et quand on le possède, je ne vois pas qu'il y ait rien qui puisse nous affliger beaucoup. — J'aimerais mieux, dit la Princesse, être aussi laide que vous et avoir de l'esprit, que d'avoir de la beauté comme j'en ai, et être bête autant que je le suis. — Il n'y a rien, Madame, qui marque davantage qu'on a de l'esprit, que de croire n'en pas avoir, et il est de la nature de ce bien-là, que plus on en a, plus on croit en manquer. — Je ne sais pas cela, dit la Princesse, mais je sais bien que je suis fort bête, et c'est de là que vient le chagrin qui me tue. — Si ce n'est que cela, Madame, qui vous afflige, je puis aisément mettre fin à votre douleur. — Et comment ferez-vous? dit la Princesse. — J'ai le pouvoir, Madame, dit Riquet à la Houppe, de donner de l'esprit autant qu'on en saurait avoir à la personne que je dois aimer le plus; et comme vous êtes, Madame, cette personne, il ne tiendra qu'à vous que vous n'ayez autant d'esprit qu'on en peut avoir, pourvu que vous vouliez bien m'épouser. »

La Princesse demeura tout interdite, et ne répondit rien. « Je vois, reprit Riquet à la Houppe, que cette proposition vous fait de la peine, et je ne m'en étonne pas; mais je vous donne un an tout entier pour vous y résoudre [1]. » La Princesse avait si peu d'esprit, et en même temps une si grande envie d'en avoir, qu'elle s'imagina que la fin de cette année ne viendrait jamais; de sorte qu'elle accepta la proposition qui lui était faite. Elle n'eut pas plutôt promis à Riquet à la Houppe, qu'elle l'épouserait dans un an à pareil jour, qu'elle se sentit tout autre qu'elle n'était auparavant; elle se trouva une facilité incroyable à dire tout ce qui lui plaisait, et à le dire d'une manière fine, aisée et naturelle : elle commença dès ce moment une

1. Décider.

conversation galante[1] et soutenue avec Riquet à la Houppe, où elle brilla d'une telle force que Riquet à la Houppe crut lui avoir donné plus d'esprit qu'il ne s'en était réservé pour lui-même.

Quand elle fut retournée au Palais, toute la Cour ne savait que penser d'un changement si subit et si extraordinaire, car autant qu'on lui avait ouï dire d'impertinences auparavant, autant lui entendait-on dire de choses bien sensées et infiniment spirituelles. Toute la Cour en eut une joie qui ne se peut imaginer, il n'y eut que sa cadette qui n'en fut pas bien aise, parce que n'ayant plus sur son aînée l'avantage de l'esprit, elle ne paraissait plus auprès d'elle qu'une Guenon fort désagréable.

Le Roi se conduisait par ses avis, et allait même quelquefois tenir le Conseil dans son appartement. Le bruit de ce changement s'étant répandu, tous les jeunes Princes des Royaumes voisins firent leurs efforts pour s'en faire aimer, et presque tous la demandèrent en Mariage; mais elle n'en trouvait point qui eût assez d'esprit, et elle les écoutait tous sans s'engager à pas un d'eux. Cependant il en vint un si puissant, si riche, si spirituel et si bien fait, qu'elle ne put s'empêcher d'avoir de la bonne volonté[2] pour lui. Son père, s'en étant aperçu, lui dit qu'il la faisait la maîtresse sur le choix d'un Époux, et qu'elle n'avait qu'à se déclarer. Comme plus on a d'esprit et plus on a de peine à prendre une ferme résolution sur cette affaire, elle demanda, après avoir remercié son père, qu'il lui donnât du temps pour y penser.

Elle alla par hasard se promener dans le même bois où elle avait trouvé Riquet à la Houppe, pour rêver plus commodément à ce qu'elle avait à faire.

1. Fine, élégante.
2. Inclination, penchant.

Dans le temps qu'elle se promenait, rêvant profondément, elle entendit un bruit sourd sous ses pieds, comme de plusieurs personnes qui vont et viennent et qui agissent. Ayant prêté l'oreille plus attentivement, elle ouït que l'on disait : « Apporte-moi cette marmite »; l'autre : « Donne-moi cette chaudière »; l'autre : « Mets du bois dans ce feu. » La terre s'ouvrit dans le même temps, et elle vit sous ses pieds comme une grande Cuisine pleine de Cuisiniers, de Marmitons et de toutes sortes d'Officiers nécessaires pour faire un festin magnifique. Il en sortit une bande de vingt ou trente Rôtisseurs, qui allèrent se camper dans une allée du bois autour d'une table fort longue, et qui tous, la lardoire [1] à la main, et la queue de Renard sur l'oreille, se mirent à travailler en cadence au son d'une Chanson harmonieuse.

La Princesse, étonnée de ce spectacle, leur demanda pour qui ils travaillaient. « C'est, Madame, lui répondit le plus apparent de la bande, pour le Prince Riquet à la Houppe, dont les noces se feront demain. » La Princesse, encore plus surprise qu'elle ne l'avait été, et se ressouvenant tout à coup qu'il y avait un an qu'à pareil jour, elle avait promis d'épouser le Prince Riquet à la Houppe, pensa tomber de son haut. Ce qui faisait qu'elle ne s'en souvenait pas, c'est que quand elle fit cette promesse elle était une bête, et qu'en prenant le nouvel esprit que le Prince lui avait donné, elle avait oublié toutes ses sottises.

Elle n'eut pas fait trente pas en continuant sa promenade, que Riquet à la Houppe se présenta à elle, brave [2], magnifique, et comme un Prince qui va se marier. « Vous me voyez, dit-il, Madame,

1. Instrument pour larder.
2. Élégant.

exact à tenir ma parole, et je ne doute point que vous ne veniez ici pour exécuter la vôtre, et me rendre, en me donnant la main, le plus heureux de tous les hommes. — Je vous avouerai franchement, répondit la Princesse, que je n'ai pas encore pris ma résolution là-dessus, et que je ne crois pas pouvoir jamais la prendre telle que vous la souhaitez. — Vous m'étonnez, Madame, lui dit Riquet à la Houppe. — Je le crois, dit la Princesse, et assurément si j'avais affaire à un brutal, à un homme sans esprit, je me trouverais bien embarrassée. " Une Princesse n'a que sa parole, me dirait-il, et il faut que vous m'épousiez, puisque vous me l'avez promis "; mais comme celui à qui je parle est l'homme du monde qui a le plus d'esprit, je suis sûre qu'il entendra raison. Vous savez que quand je n'étais qu'une bête, je ne pouvais néanmoins me résoudre à vous épouser; comment voulez-vous qu'ayant l'esprit que vous m'avez donné, qui me rend encore plus difficile en[1] gens que je n'étais, je prenne, aujourd'hui, une résolution que je n'ai pu prendre dans ce temps-là? Si vous pensiez tout de bon à m'épouser, vous avez eu grand tort de m'ôter ma bêtise, et de me faire voir plus clair que je ne voyais. — Si un homme sans esprit, répondit Riquet à la Houppe, serait bien reçu[2], comme vous venez de le dire, à vous reprocher votre manque de parole, pourquoi voulez-vous, Madame, que je n'en use pas de même, dans une chose où il y va de tout le bonheur de ma vie? Est-il raisonnable que les personnes qui ont de l'esprit soient d'une pire condition que celles qui n'en ont pas? Le pouvez-vous prétendre, vous qui en avez tant, et qui avez tant souhaité d'en avoir? Mais venons au fait,

1. A propos de, au sujet de.
2. Reçu à : approuvé de.

s'il vous plaît. A la réserve de [1] ma laideur, y a-t-il quelque chose en moi qui vous déplaise, êtes-vous malcontente de ma naissance, de mon esprit, de mon humeur, et de mes manières? — Nullement, répondit la Princesse; j'aime en vous tout ce que vous venez de me dire. — Si cela est ainsi, reprit Riquet à la Houppe, je vais être heureux, puisque vous pouvez me rendre le plus aimable de tous les hommes. — Comment cela se peut-il faire? lui dit la Princesse. — Cela se fera, répondit Riquet à la Houppe, si vous m'aimez assez pour souhaiter que cela soit; et afin, Madame, que vous n'en doutiez pas, sachez que la même Fée qui, au jour de ma naissance, me fit le don de pouvoir rendre spirituelle la personne qu'il me plairait, vous a aussi fait le don de pouvoir rendre beau celui que vous aimerez, et à qui vous voudrez bien faire cette faveur. — Si la chose est ainsi, dit la Princesse, je souhaite de tout mon cœur que vous deveniez le Prince du monde le plus beau et le plus aimable; et je vous en fais le don autant qu'il est en moi [2]. »

La Princesse n'eut pas plutôt prononcé ces paroles, que Riquet à la Houppe parut à ses yeux, l'homme du monde le plus beau, le mieux fait et le plus aimable qu'elle eût jamais vu. Quelques-uns assurent que ce ne furent point les charmes de la Fée qui opérèrent, mais que l'amour seul fit cette Métamorphose. Ils disent que la Princesse, ayant fait réflexion sur la persévérance de son Amant, sur sa discrétion, et sur toutes les bonnes qualités de son âme et de son esprit, ne vit plus la difformité de son corps, ni la laideur de son visage, que sa bosse ne lui sembla plus que le bon air d'un homme qui fait le gros dos, et qu'au lieu que jus-

1. Excepté, à l'exception de.
2. Autant qu'il est en mon pouvoir.

qu'alors elle l'avait vu boiter effroyablement, elle ne lui trouva plus qu'un certain air penché qui la charmait; ils disent encore que ses yeux qui étaient louches ne lui en parurent que plus brillants, que leur dérèglement passa dans son esprit pour la marque d'un violent excès d'amour, et qu'enfin son gros nez rouge eut pour elle quelque chose de Martial et d'Héroïque!

Quoi qu'il en soit, la Princesse lui promit sur-le-champ de l'épouser, pourvu qu'il en obtînt le consentement du Roi son Père. Le Roi ayant su que sa fille avait beaucoup d'estime pour Riquet à la Houppe, qu'il connaissait d'ailleurs pour un Prince très spirituel et très sage, le reçut avec plaisir pour son gendre. Dès le lendemain les noces furent faites, ainsi que Riquet à la Houppe l'avait prévu, et selon les ordres qu'il en avait donnés longtemps auparavant.

MORALITÉ

Ce que l'on voit dans cet écrit
Est moins un conte en l'air que la vérité même;
Tout est beau dans ce que l'on aime,
Tout ce qu'on aime a de l'esprit.

AUTRE MORALITÉ

Dans un objet où la Nature
Aura mis de beaux traits, et la vive peinture
D'un teint où jamais l'Art ne saurait arriver,
Tous ces dons pourront moins pour rendre un cœur
sensible,
Qu'un seul agrément invisible
Que l'Amour y fera trouver.

Le Petit Poucet

CONTE

Il était une fois un Bûcheron et une Bûcheronne, qui avaient sept enfants, tous Garçons. L'aîné n'avait que dix ans, et le plus jeune n'en avait que sept. On s'étonnera que le Bûcheron ait eu tant d'enfants en si peu de temps; mais c'est que sa femme allait vite en besogne, et n'en faisait pas moins que deux à la fois.

Ils étaient fort pauvres, et leurs sept enfants les incommodaient [1] beaucoup, parce qu'aucun d'eux ne pouvait encore gagner sa vie. Ce qui les chagrinait encore, c'est que le plus jeune était fort délicat, et ne disait mot : prenant pour bêtise ce qui était une marque de bonté dans son esprit. Il était fort petit, et quand il vint au monde, il n'était guère plus gros que le pouce, ce qui fit que l'on l'appela le Petit Poucet.

Ce pauvre enfant était le souffre-douleur de la maison, et on lui donnait toujours le tort. Cependant il était le plus fin, et le plus avisé de tous ses frères, et s'il parlait peu, il écoutait beaucoup.

Il vint une année très fâcheuse, et la famine fut si grande, que ces pauvres gens résolurent de se défaire de leurs enfants. Un soir que ces enfants étaient couchés, et que le Bûcheron était auprès

1. Sens particulier : rendaient plus pauvres.

du feu avec sa femme, il lui dit, le cœur serré de douleur : « Tu vois bien que nous ne pouvons plus nourrir nos enfants : je ne saurais les voir mourir de faim devant mes yeux, et je suis résolu de les mener perdre demain au bois, ce qui sera bien aisé, car tandis qu'ils s'amuseront à fagoter, nous n'avons qu'à nous enfuir sans qu'ils nous voient. — Ah! s'écria la Bûcheronne, pourrais-tu bien toi-même mener perdre tes enfants! » Son mari avait beau lui représenter leur grande pauvreté, elle ne pouvait y consentir; elle était pauvre, mais elle était leur mère. Cependant ayant considéré quelle douleur ce lui serait de les voir mourir de faim, elle y consentit, et alla se coucher en pleurant.

Le Petit Poucet ouït tout ce qu'ils dirent, car ayant entendu de dedans son lit qu'ils parlaient d'affaires, il s'était levé doucement, et s'était glissé sous l'escabelle de son père pour les écouter sans être vu. Il alla se recoucher et ne dormit point le reste de la nuit, songeant à ce qu'il avait à faire. Il se leva de bon matin, et alla au bord d'un ruisseau où il emplit ses poches de petits cailloux blancs, et ensuite revint à la maison. On partit, et le Petit Poucet ne découvrit [1] rien de tout ce qu'il savait à ses frères.

Ils allèrent dans une forêt fort épaisse, où à dix pas de distance on ne se voyait pas l'un l'autre. Le Bûcheron se mit à couper du bois et ses enfants à ramasser les broutilles [2] pour faire des fagots. Le père et la mère, les voyant occupés à travailler, s'éloignèrent d'eux insensiblement, et puis s'enfuirent tout à coup par un petit sentier détourné.

Lorsque ces enfants se virent seuls, ils se mirent à crier et à pleurer de toute leur force. Le Petit

1. Révéla.
2. Petites branches, brindilles.

Poucet les laissait crier, sachant bien par où il reviendrait à la maison; car en marchant il avait laissé tomber le long du chemin les petits cailloux blancs qu'il avait dans ses poches. Il leur dit donc : « Ne craignez point, mes frères, mon Père et ma Mère nous ont laissés ici, mais je vous remènerai bien au logis : suivez-moi seulement. »

Ils le suivirent, et il les mena jusqu'à leur maison par le même chemin qu'ils étaient venus dans la forêt. Ils n'osèrent d'abord entrer, mais ils se mirent tous contre la porte pour écouter ce que disaient leur père et leur mère.

Dans le moment que [1] le Bûcheron et la Bûcheronne arrivèrent chez eux, le Seigneur du Village leur envoya dix écus qu'il leur devait il y avait longtemps et dont ils n'espéraient plus rien. Cela leur redonna la vie, car les pauvres gens mouraient de faim. Le Bûcheron envoya sur l'heure [2] sa femme à la Boucherie. Comme il y avait longtemps qu'elle n'avait mangé, elle acheta trois fois plus de viande qu'il n'en fallait pour le souper de deux personnes. Lorsqu'ils furent rassasiés, la Bûcheronne dit : « Hélas, où sont maintenant nos pauvres enfants? Ils feraient bonne chère de ce qui nous reste là! Mais aussi, Guillaume, c'est toi qui les as voulu perdre; j'avais bien dit que nous nous en repentirions. Que font-ils maintenant dans cette Forêt? Hélas! mon Dieu, les Loups les ont peut-être déjà mangés! Tu es bien inhumain d'avoir perdu ainsi tes enfants. »

Le Bûcheron s'impatienta à la fin, car elle redit plus de vingt fois qu'ils s'en repentiraient et qu'elle l'avait bien dit. Il la menaça de la battre si elle ne se taisait. Ce n'est pas que le Bûcheron ne fût

1. Au moment précis où.
2. Immédiatement, sur-le-champ.

peut-être encore plus fâché que sa femme, mais c'est qu'elle lui rompait la tête, et qu'il était de l'humeur de beaucoup d'autres gens, qui aiment fort les femmes qui disent bien, mais qui trouvent très importunes celles qui ont toujours bien dit.

La Bûcheronne était tout en pleurs : « Hélas! où sont maintenant mes enfants, mes pauvres enfants? » Elle le dit une fois si haut que les enfants qui étaient à la porte, l'ayant entendu, se mirent à crier tous ensemble : « Nous voilà, nous voilà. » Elle courut vite leur ouvrir la porte, et leur dit en les embrassant : « Que je suis aise de vous revoir, mes chers enfants! Vous êtes bien las, et vous avez bien faim; et toi, Pierrot, comme te voilà crotté, viens que je te débarbouille. » Ce Pierrot était son fils aîné qu'elle aimait plus que tous les autres, parce qu'il était un peu rousseau, et qu'elle était un peu rousse.

Ils se mirent à Table, et mangèrent d'un appétit qui faisait plaisir au Père et à la Mère, à qui ils racontaient la peur qu'ils avaient eue dans la Forêt, en parlant presque toujours tous ensemble. Ces bonnes gens étaient ravis de revoir leurs enfants avec eux, et cette joie dura tant que les dix écus durèrent; mais lorsque l'argent fut dépensé, ils retombèrent dans leur premier chagrin, et résolurent de les perdre encore; et pour ne pas manquer leur coup, de les mener bien plus loin que la première fois.

Ils ne purent parler de cela si secrètement qu'ils ne fussent entendus par le Petit Poucet, qui fit son compte de sortir d'affaire comme il avait déjà fait; mais quoiqu'il se fût levé de bon matin pour aller ramasser de petits cailloux, il ne put en venir à bout, car il trouva la porte de la maison fermée à double tour. Il ne savait que faire, lorsque la

Bûcheronne leur ayant donné à chacun un morceau de pain pour leur déjeuner, il songea qu'il pourrait se servir de son pain au lieu de cailloux, en le jetant par miettes le long des chemins où ils passeraient : il le serra [1] donc dans sa poche.

Le Père et la Mère les menèrent dans l'endroit de la forêt le plus épais et le plus obscur, et dès qu'ils y furent, ils gagnèrent un faux-fuyant [2] et les laissèrent là. Le Petit Poucet ne s'en chagrina pas beaucoup, parce qu'il croyait retrouver aisément son chemin par le moyen de son pain qu'il avait semé partout où il avait passé; mais il fut bien surpris lorsqu'il ne put en retrouver une seule miette : les Oiseaux étaient venus qui avaient tout mangé.

Les voilà donc bien affligés, car plus ils marchaient, plus ils s'égaraient, et s'enfonçaient dans la Forêt. La nuit vint, et il s'éleva un grand vent qui leur faisait des peurs épouvantables. Ils croyaient n'entendre de tous côtés que les hurlements de Loups qui venaient à eux pour les manger. Ils n'osaient presque se parler ni tourner la tête. Il survint une grosse pluie qui les perça jusqu'aux os; ils glissaient à chaque pas et tombaient dans la boue, d'où ils se relevaient tout crottés, ne sachant que faire de leurs mains.

Le Petit Poucet grimpa au haut d'un arbre pour voir s'il ne découvrirait rien; ayant tourné la tête de tous côtés, il vit une petite lueur comme d'une chandelle, mais qui était bien loin par-delà la Forêt. Il descendit de l'arbre; et lorsqu'il fut à terre il ne vit plus rien; cela le désola. Cependant ayant marché quelque temps avec ses frères, du côté qu'il avait vu la lumière, il la revit en sortant du Bois.

1. Enferma.
2. Chemin écarté et secret.

Ils arrivèrent enfin à la maison où était cette chandelle, non sans bien des frayeurs, car souvent ils la perdaient de vue, ce qui leur arrivait toutes les fois qu'ils descendaient dans quelque fond. Ils heurtèrent à la porte, et une bonne femme vint leur ouvrir. Elle leur demanda ce qu'ils voulaient; le Petit Poucet lui dit qu'ils étaient de pauvres enfants qui s'étaient perdus dans la Forêt, et qui demandaient à coucher par charité. Cette femme, les voyant tous si jolis, se mit à pleurer, et leur dit : « Hélas! mes pauvres enfants, où êtes-vous venus? Savez-vous bien que c'est ici la maison d'un Ogre qui mange les petits enfants? – Hélas! Madame, lui répondit le Petit Poucet, qui tremblait de toute sa force aussi bien que ses frères, que ferons-nous? Il est bien sûr que les Loups de la Forêt ne manqueront pas de nous manger cette nuit, si vous ne voulez pas nous retirer[1] chez vous. Et cela étant, nous aimons mieux que ce soit Monsieur qui nous mange; peut-être qu'il aura pitié de nous, si vous voulez bien l'en prier. »

La femme de l'Ogre, qui crut qu'elle pourrait les cacher à son mari jusqu'au lendemain matin, les laissa entrer et les mena se chauffer auprès d'un bon feu; car il y avait un Mouton tout entier à la broche pour le souper de l'Ogre.

Comme ils commençaient à se chauffer, ils entendirent heurter trois ou quatre grands coups à la porte : c'était l'Ogre qui revenait. Aussitôt sa femme les fit cacher sous le lit et alla ouvrir la porte. L'Ogre demanda d'abord si le souper était prêt et si on avait tiré du vin, et aussitôt se mit à table. Le Mouton était encore tout sanglant, mais il ne lui en sembla que meilleur. Il flairait à droite

---

1. Donner retraite, mettre a l'abri.

et à gauche, disant qu'il sentait la chair fraîche.
« Il faut, lui dit sa femme, que ce soit ce Veau que
je viens d'habiller [1], que vous sentez. — Je sens la
chair fraîche, te dis-je encore une fois, reprit
l'Ogre, en regardant sa femme de travers, et il
y a ici quelque chose que je n'entends [2] pas. » En
disant ces mots il se leva de table, et alla droit au
lit.

« Ah, dit-il, voilà donc comme tu veux me tromper, maudite femme! Je ne sais à quoi il tient que
je ne te mange aussi : bien t'en prend d'être une
vieille bête. Voilà du Gibier qui me vient bien à
propos pour traiter trois Ogres de mes amis qui
doivent me venir voir ces jours-ci. »

Il les tira de dessous le lit l'un après l'autre. Ces
pauvres enfants se mirent à genoux en lui demandant pardon; mais ils avaient affaire au plus cruel
de tous les Ogres, qui bien loin d'avoir de la pitié,
les dévorait déjà des yeux, et disait à sa femme que
ce serait là de friands morceaux lorsqu'elle leur
aurait fait une bonne sauce.

Il alla prendre un grand Couteau, et en approchant de ces pauvres enfants, il l'aiguisait sur une
longue pierre qu'il tenait à sa main gauche. Il en
avait déjà empoigné un, lorsque sa femme lui dit :
« Que voulez-vous faire à l'heure qu'il est? n'aurez-
vous pas assez de temps demain matin? — Tais-
toi, reprit l'Ogre, ils en seront plus mortifiés [3]. —
Mais vous avez encore là tant de viande, reprit sa
femme : voilà un Veau, deux Moutons et la moitié
d'un Cochon! — Tu as raison, dit l'Ogre; donne-
leur bien à souper afin qu'ils ne maigrissent pas,
et va les mener coucher. »

1. Préparer pour la cuisson.
2. Comprends.
3. Rendus plus tendres.

La bonne femme fut ravie de joie, et leur porta bien à souper, mais ils ne purent manger tant ils étaient saisis de peur. Pour l'Ogre, il se remit à boire, ravi d'avoir de quoi si bien régaler ses Amis. Il but une douzaine de coups plus qu'à l'ordinaire, ce qui lui donna un peu dans la tête [1], et l'obligea de s'aller coucher.

L'Ogre avait sept filles qui n'étaient encore que des enfants. Ces petites Ogresses avaient toutes le teint fort beau, parce qu'elles mangeaient de la chair fraîche comme leur père; mais elles avaient de petits yeux gris et tout ronds, le nez crochu et une fort grande bouche avec de longues dents fort aiguës et fort éloignées l'une de l'autre. Elles n'étaient pas encore fort méchantes; mais elles promettaient beaucoup, car elles mordaient déjà les petits enfants pour en sucer le sang.

On les avait fait coucher de bonne heure, et elles étaient toutes sept dans un grand lit, ayant chacune une Couronne d'or sur la tête. Il y avait dans la même Chambre un autre lit de la même grandeur : ce fut dans ce lit que la femme de l'Ogre mit coucher les sept petits garçons; après quoi, elle s'alla coucher auprès de son mari.

Le Petit Poucet qui avait remarqué que les filles de l'Ogre avaient des Couronnes d'or sur la tête, et qui craignait qu'il ne prît à l'Ogre quelque remords de ne les avoir pas égorgés dès le soir même, se leva vers le milieu de la nuit, et prenant les bonnets de ses frères et le sien, il alla tout doucement les mettre sur la tête des sept filles de l'Ogre, après leur avoir ôté leurs Couronnes d'or qu'il mit sur la tête de ses frères et sur la sienne, afin que l'Ogre les prît pour ses filles, et ses filles

---

1. On dirait : lui monta un peu à la tête.

pour les garçons qu'il voulait égorger. La chose réussit comme il l'avait pensé; car l'Ogre, s'étant éveillé sur le minuit, eut regret d'avoir différé au lendemain ce qu'il pouvait exécuter la veille; il se jeta donc brusquement hors du lit, et prenant son grand Couteau : « Allons voir, dit-il, comment se portent nos petits drôles; n'en faisons pas à deux fois [1]. »

Il monta donc à tâtons à la Chambre de ses filles et s'approcha du lit où étaient les petits garçons, qui dormaient tous excepté le Petit Poucet, qui eut bien peur lorsqu'il sentit la main de l'Ogre qui lui tâtait la tête, comme il avait tâté celles de tous ses frères. L'Ogre, qui sentit les Couronnes d'or : « Vraiment, dit-il, j'allais faire là un bel ouvrage; je vois bien que je bus trop hier au soir. » Il alla ensuite au lit de ses filles, où ayant senti les petits bonnets des garçons : « Ah, les voilà, dit-il, nos gaillards! travaillons hardiment. » En disant ces mots, il coupa sans balancer la gorge à ses sept filles. Fort content de cette expédition, il alla se recoucher auprès de sa femme.

Aussitôt que le Petit Poucet entendit ronfler l'Ogre, il réveilla ses frères, et leur dit de s'habiller promptement et de le suivre. Ils descendirent doucement dans le Jardin, et sautèrent par-dessus les murailles. Ils coururent presque toute la nuit, toujours en tremblant et sans savoir où ils allaient.

L'Ogre s'étant éveillé dit à sa femme : « Va-t'en là-haut habiller ces petits drôles d'hier au soir. » L'Ogresse fut fort étonnée de la bonté de son mari, ne se doutant point de la manière qu'il entendait qu'elle les habillât, et croyant qu'il lui ordonnait de les aller vêtir; elle monta en haut où elle

---

1. Ne nous y reprenons pas à deux fois.

fut bien surprise lorsqu'elle aperçut ses sept filles égorgées et nageant dans leur sang.

Elle commença par s'évanouir (car c'est le premier expédient que trouvent presque toutes les femmes en pareilles rencontres [1]). L'Ogre, craignant que sa femme ne fût trop longtemps à faire la besogne dont il l'avait chargée, monta en haut pour lui [2] aider. Il ne fut pas moins étonné que sa femme lorsqu'il vit cet affreux spectacle. « Ah, qu'ai-je fait là? s'écria-t-il; ils me le payeront, les malheureux et tout à l'heure. »

Il jeta aussitôt une potée [3] d'eau dans le nez de sa femme, et l'ayant fait revenir : « Donne-moi vite mes bottes de sept lieues, lui dit-il, afin que j'aille les attraper. » Il se mit en campagne, et, après avoir couru bien loin de tous côtés, enfin il entra dans le chemin où marchaient ces pauvres enfants qui n'étaient plus qu'à cent pas du logis de leur père. Ils virent l'Ogre qui allait de montagne en montagne, et qui traversait des rivières aussi aisément qu'il aurait fait le moindre ruisseau. Le Petit Poucet, qui vit un Rocher creux proche le [4] lieu où ils étaient, y fit cacher ses six frères, et s'y fourra aussi, regardant toujours ce que l'Ogre deviendrait. L'Ogre, qui se trouvait fort las du long chemin qu'il avait fait inutilement (car les bottes de sept lieues fatiguent fort leur homme), voulut se reposer, et par hasard il alla s'asseoir sur la roche où les petits garçons s'étaient cachés.

Comme il n'en pouvait plus de fatigue, il s'endormit après s'être reposé quelque temps, et vint à ronfler si effroyablement que les pauvres enfants n'en eurent pas moins de peur que quand il tenait

1. Occurrences, circonstances, occasions.
2. On pouvait dire : aider à.
3. Le contenu d'un pot.
4. Proche du.

son grand Couteau pour leur couper la gorge. Le Petit Poucet en eut moins de peur, et dit à ses frères de s'enfuir promptement à la maison pendant que l'Ogre dormait bien fort, et qu'ils ne se missent point en peine de lui. Ils crurent son conseil et gagnèrent vite la maison.

Le Petit Poucet, s'étant approché de l'Ogre, lui tira doucement ses bottes, et les mit aussitôt. Les bottes étaient fort grandes et fort larges; mais comme elles étaient Fées, elles avaient le don de s'agrandir et de s'apetisser selon la jambe de celui qui les chaussait, de sorte qu'elles se trouvèrent aussi justes à ses pieds et à ses jambes que si elles avaient été faites pour lui.

Il alla droit à la maison de l'Ogre, où il trouva sa femme qui pleurait auprès de ses filles égorgées. « Votre mari, lui dit le Petit Poucet, est en grand danger car il a été pris par une troupe de Voleurs qui ont juré de le tuer s'il ne leur donne tout son or et tout son argent. Dans le moment qu'ils lui tenaient le poignard sur la gorge, il m'a aperçu et m'a prié de vous venir avertir de l'état où il est, et de vous dire de me donner tout ce qu'il a vaillant [1] sans en rien retenir, parce qu'autrement ils le tueront sans miséricorde : comme la chose presse beaucoup, il a voulu que je prisse ses bottes de sept lieues que voilà, pour faire diligence, et aussi afin que vous ne croyiez pas que je sois un affronteur [2]. »

La bonne femme fort effrayée lui donna aussitôt tout ce qu'elle avait : car cet Ogre ne laissait pas d'être fort bon mari quoiqu'il mangeât les petits enfants. Le Petit Poucet, étant donc chargé de

1. Qui vaille, c'est-à-dire : tout ce qu'il possède, tout ce qu'il a devant lui.
2. Menteur, trompeur.

toutes les richesses de l'Ogre, s'en revint au logis de son père, où il fut reçu avec bien de la joie.

Il y a bien des gens qui ne demeurent pas d'accord[1] de cette dernière circonstance, et qui prétendent que le Petit Poucet n'a jamais fait ce vol à l'Ogre; qu'à la vérité, il n'avait pas fait conscience[2] de lui prendre ses bottes de sept lieues, parce qu'il ne s'en servait que pour courir après les petits enfants. Ces gens-là assurent le savoir de bonne part[3], et même pour avoir bu et mangé dans la maison du Bûcheron. Ils assurent que, lorsque le Petit Poucet eut chaussé les bottes de l'Ogre, il s'en alla à la Cour, où il savait qu'on était fort en peine[4] d'une Armée qui était à deux cents lieues de là, et du succès d'une Bataille qu'on avait donnée. Il alla, disent-ils, trouver le Roi, et lui dit que s'il le souhaitait, il lui rapporterait des nouvelles de l'Armée avant la fin du jour. Le Roi lui promit une grosse somme d'argent, s'il en venait à bout[5]. Le Petit Poucet rapporta des nouvelles dès le soir même, et cette première course l'ayant fait connaître, il gagnait tout ce qu'il voulait; car le Roi le payait parfaitement bien pour porter ses ordres à l'Armée; et une infinité de Dames lui donnaient tout ce qu'il voulait pour avoir des nouvelles de leurs Amants, et ce fut là son plus grand gain.

Il se trouvait quelques femmes qui le chargeaient de Lettres pour leurs maris, mais elles le payaient si mal, et cela allait à[6] si peu de chose, qu'il ne daignait mettre en ligne de compte ce qu'il gagnait de ce côté-là.

1. Contestent la véracité.
2. Scrupule.
3. De source sûre.
4. S'inquiétait.
5. Réussissait.
6. Cela se montait à, cela représentait.

Après avoir fait pendant quelque temps le métier de courrier, et y avoir amassé beaucoup de bien [1], il revint chez son père, où il n'est pas possible d'imaginer la joie qu'on eut de le revoir. Il mit toute sa famille à son aise. Il acheta des Offices [2] de nouvelle création pour son père et pour ses frères; et par là il les établit tous, et fit parfaitement bien sa Cour en même temps.

MORALITÉ

On ne s'afflige point d'avoir beaucoup d'enfants,
Quand ils sont tous beaux, bien faits et bien grands
Et d'un extérieur qui brille;
Mais si l'un d'eux est faible ou ne dit mot,
On le méprise, on le raille, on le pille [3],
Quelquefois cependant c'est ce petit marmot
Qui fera le bonheur de toute la famille.

---

1. Argent, fortune.
2. A cette époque, on pouvait acheter des charges, des fonctions « administratives » ou judiciaires (cf. Vénalité des charges).
3. Dit du mal de, dénigre.

Contes
en vers

Grisélidis

NOUVELLE

En vous offrant, jeune et sage Beauté,
Ce modèle de Patience,
Je ne me suis jamais flatté
Que par vous de tout point[2] il serait imité;
C'en serait trop en conscience.

Mais Paris où l'homme est poli,
Où le beau sexe né pour plaire
Trouve son bonheur accompli,
De tous côtés est si rempli
D'exemples du vice contraire,
Qu'on ne peut en toute saison,
Pour s'en garder ou s'en défaire,
Avoir trop de contrepoison.

Une Dame aussi patiente
Que celle dont ici je relève le prix,
Serait partout une chose étonnante,
Mais ce serait un prodige à Paris.

1. Peut-être Mlle Lhéritier.
2. En toute chose, dans le moindre détail.

Les femmes y sont souveraines.
Tout s'y règle selon leurs vœux,
Enfin c'est un climat heureux
Qui n'est habité que de Reines.

Ainsi je vois que de toutes façons,
Grisélidis y sera peu prisée,
Et qu'elle y donnera matière de risée,
Par ses trop antiques leçons.

Ce n'est pas que la Patience
Ne soit une vertu des Dames de Paris,
Mais par un long usage elles ont la science
De la faire exercer par leurs propres maris.

Au pied des célèbres montagnes [1]
Où le Pô s'échappant de dessous ses roseaux,
Va dans le sein des prochaines [2] campagnes
Promener ses naissantes eaux,
Vivait un jeune et vaillant Prince,
Les délices de sa Province :
Le Ciel en le formant, sur lui tout à la fois
Versa ce qu'il a de plus rare,
Ce qu'entre ses amis d'ordinaire il sépare,
Et qu'il ne donne qu'aux grands Rois.

Comblé de tous les dons et du corps et de l'âme,
Il fut robuste, adroit, propre au métier de Mars,
Et par l'instinct secret d'une divine flamme,
Avec ardeur il aima les beaux Arts.
Il aima les combats, il aima la victoire,
Les grands projets, les actes valeureux,
Et tout ce qui fait vivre un beau nom dans l'histoire;

1. Le Pô prend sa source au mont Viso, dans les Alpes occidentales.
2. Proches, voisines.

Mais son cœur tendre et généreux
Fut encor plus sensible à la solide gloire
De rendre ses Peuples heureux.

Ce tempérament héroïque
Fut obscurci d'une sombre vapeur
Qui, chagrine et mélancolique,
Lui faisait voir dans le fond de son cœur,
Tout le beau sexe infidèle et trompeur.
Dans la femme où brillait le plus rare mérite,
Il voyait une âme hypocrite,
Un esprit d'orgueil enivré,
Un cruel ennemi qui sans cesse n'aspire
Qu'à prendre un souverain empire [1]
Sur l'homme malheureux qui lui sera livré.

Le fréquent usage du monde,
Où l'on ne voit qu'Époux subjugués ou trahis,
Joint à l'air jaloux du Pays,
Accrut encor cette haine profonde.
Il jura donc plus d'une fois
Que quand même le Ciel, pour lui plein de tendresse
Formerait une autre Lucrèce [2],
Jamais de l'Hyménée [3] il ne suivrait les lois.
Ainsi, quand le matin, qu'il donnait aux affaires,
Il avait réglé sagement
Toutes les choses nécessaires
Au bonheur du gouvernement [4],
Que du faible orphelin, de la veuve oppressée,
Il avait conservé les droits,
Ou banni quelque impôt qu'une guerre forcée
Avait introduit autrefois;
L'autre moitié de la journée

1. Influence, autorité.
2. Jeune femme romaine, symbole des vertus conjugales.
3. Mariage.
4. Pour le bien de tous.

A la chasse était destinée,
Où les Sangliers et les Ours,
Malgré leur fureur et leurs armes,
   Lui donnaient encor moins d'alarmes
Que le sexe charmant qu'il évitait toujours.

Cependant ses sujets que leur intérêt presse
   De s'assurer d'un successeur
Qui les gouverne un jour avec même douceur,
A leur donner un fils le conviaient sans cesse.

Un jour dans le Palais ils vinrent tous en corps
   Pour faire leurs derniers efforts;
   Un Orateur d'une grave apparence,
   Et le meilleur qui fût alors,
Dit tout ce qu'on peut dire en pareille occurrence;
   Il marqua leur désir pressant
De voir sortir du Prince une heureuse lignée
Qui rendît à jamais leur État florissant;
   Il lui dit même en finissant
   Qu'il voyait un Astre naissant
   Issu de son chaste Hyménée
   Qui faisait pâlir le croissant.

D'un ton plus simple et d'une voix moins forte,
Le Prince à ses sujets répondit de la sorte :
   — Le zèle ardent, dont je vois qu'en ce jour
   Vous me portez [1] aux nœuds du mariage,
   Me fait plaisir, et m'est de votre amour
      Un agréable témoignage;
      J'en suis sensiblement touché,
Et voudrais dès demain pouvoir vous satisfaire :
   Mais à mon sens l'Hymen est une affaire
Où plus l'homme est prudent, plus il est empêché.

1. Poussez, incitez.

Observez bien toutes les jeunes filles;
Tant qu'elles sont au sein de leurs familles,
Ce n'est que vertu, que bonté,
Que pudeur, que sincérité,
Mais sitôt que le mariage
Au déguisement a mis fin,
Et qu'ayant fixé leur destin
Il n'importe plus d'être sage,
Elles quittent leur personnage,
Non sans avoir beaucoup pâti,
Et chacune dans son ménage
Selon son gré prend son parti.

L'une d'humeur chagrine, et que rien ne récrée[1],
Devient une Dévote outrée,
Qui crie et gronde à tous moments;
L'autre se façonne en Coquette,
Qui sans cesse écoute ou caquette,
Et n'a jamais assez d'Amants;
Celle-ci des beaux Arts follement curieuse,
De tout décide avec hauteur,
Et critiquant le plus habile Auteur,
Prend la forme de Précieuse;
Cette autre s'érige en Joueuse,
Perd tout, argent, bijoux, bagues, meubles de prix,
Et même jusqu'à ses habits.

Dans la diversité des routes qu'elles tiennent,
Il n'est qu'une chose où je vois
Qu'enfin toutes elles conviennent[2],
C'est de vouloir donner la loi.
Or je suis convaincu que dans le mariage
On ne peut jamais vivre heureux,
Quand on y commande tous deux;

1. Amuse, divertit.
2. Tombent d'accord, s'accordent.

Si donc vous souhaitez qu'à l'Hymen je m'engage,
Cherchez une jeune Beauté
Sans orgueil et sans vanité,
D'une obéissance achevée,
D'une patience éprouvée,
Et qui n'ait point de volonté;
Je la prendrai quand vous l'aurez trouvée.

Le Prince ayant mis fin à ce discours moral,
Monte brusquement à cheval,
Et court joindre à perte d'haleine
Sa meute qui l'attend au milieu de la plaine.

Après avoir passé des prés et des guérets,
Il trouve ses Chasseurs couchés sur l'herbe verte;
Tous se lèvent et tous alertes,
Font trembler de leurs cors les hôtes des forêts.
Des chiens courants, l'aboyante famille,
De-çà de-là, parmi le chaume brille,
Et les Limiers à l'œil ardent
Qui du fort[1] de la Bête à leur poste reviennent,
Entraînent en les regardant
Les forts valets qui les retiennent.

S'étant instruit par un des siens
Si tout est prêt, si l'on est sur la trace,
Il ordonne aussitôt qu'on commence la chasse,
Et fait donner le Cerf aux chiens[2].
Le son des cors qui retentissent,
Le bruit des chevaux qui hennissent
Et des chiens animés les pénétrants abois,
Remplissent la forêt de tumulte et de trouble,
Et pendant que l'écho sans cesse les redouble,
S'enfoncent avec eux dans les plus creux du bois.

1. L'endroit le plus épais du bois, où se retirent les bêtes fauves.
2. Fait lâcher la meute des chiens après le cerf.

Le Prince, par hasard, ou par sa destinée,
                    Prit une route détournée,
                    Où nul des Chasseurs ne le suit;
                    Plus il court, plus il s'en sépare :
                    Enfin à tel point il s'égare,
Que des chiens et des cors il n'entend plus le bruit.

L'endroit où le mena sa bizarre aventure,
                    Clair de ruisseaux et sombre de verdure,
Saisissait les esprits d'une secrète horreur;
                    La simple et naïve Nature
                    S'y faisait voir et si belle et si pure,
                    Que mille fois il bénit son erreur.

                    Rempli des douces rêveries
Qu'inspirent les grands bois, les eaux et les prairies,
Il sent soudain frapper et son cœur et ses yeux
                    Par l'objet [1] le plus agréable,
                    Le plus doux et le plus aimable,
                    Qu'il eût jamais vu sous les Cieux.

                    C'était une jeune Bergère
                    Qui filait aux bords d'un ruisseau,
                    Et qui, conduisant son troupeau,
                    D'une main sage et ménagère
                    Tournait son agile fuseau.
Elle aurait pu dompter les cœurs les plus sauvages;
                    Des lys, son teint a la blancheur,
                    Et sa naturelle fraîcheur
S'était toujours sauvée à l'ombre des bocages :
Sa bouche, de l'enfance avait tout l'agrément,
Et ses yeux qu'adoucit une brune paupière,
                    Plus bleus que n'est le firmament,
                    Avaient aussi plus de lumière.

1. Abstraction pour : être, personne.

Le Prince, avec transport, dans le bois se glissant,
Contemple les beautés dont son âme est émue,
            Mais le bruit qu'il fait en passant
De la Belle sur lui fit détourner la vue.
            Dès qu'elle se vit aperçue,
D'un brillant incarnat la prompte et vive ardeur,
            De son beau teint redoubla la splendeur,
                Et sur son visage épandue,
                Y fit triompher la Pudeur.

Sous le voile innocent de cette honte aimable,
Le Prince découvrit une simplicité,
            Une douceur, une sincérité,
            Dont il croyait le beau sexe incapable,
            Et qu'il voit là dans toute leur beauté.

Saisi d'une frayeur pour lui toute nouvelle,
Il s'approche interdit, et plus timide qu'elle,
            Lui dit d'une tremblante voix,
Que de tous ses Veneurs il a perdu la trace,
            Et lui demande si la chasse
            N'a point passé quelque part dans le bois.
— Rien n'a paru, Seigneur, dans cette solitude,
Dit-elle, et nul ici que vous seul n'est venu;
            Mais n'ayez point d'inquiétude,
Je remettrai vos pas sur un chemin connu.

            — De mon heureuse destinée
Je ne puis, lui dit-il, trop rendre grâce aux Dieux;
            Depuis longtemps je fréquente ces lieux,
Mais j'avais ignoré jusqu'à cette journée
            Ce qu'ils ont de plus précieux.
Dans ce temps elle voit que le Prince se baisse
            Sur le moite bord du ruisseau,
            Pour étancher dans le cours de son eau
                La soif ardente qui le presse.

— Seigneur, attendez un moment,
Dit-elle, et courant promptement
Vers sa cabane, elle y prend une tasse,
Qu'avec joie et de bonne grâce,
Elle présente à ce nouvel Amant.

Les vases précieux de cristal et d'agate
Où l'or en mille endroits éclate,
Et qu'un Art curieux [1] avec soin façonna,
N'eurent jamais pour lui, dans leur pompe inutile,
Tant de beauté que le vase d'argile
Que la Bergère lui donna.

Cependant pour trouver une route facile
Qui mène le Prince à la ville,
Ils traversent des bois, des rochers escarpés
Et de torrents entrecoupés;
Le Prince n'entre point dans de route nouvelle
Sans en bien observer tous les lieux d'alentour,
Et son ingénieux Amour
Qui songeait au retour,
En fit une carte fidèle.
Dans un bocage sombre et frais
Enfin la Bergère le mène,
Où, de dessous ses branchages épais,
Il voit au loin dans le sein de la plaine
Les toits dorés de son riche Palais.
S'étant séparé de la Belle,
Touché d'une vive douleur,
A pas lents il s'éloigne d'Elle,
Chargé du trait qui lui perce le cœur;
Le souvenir de sa tendre aventure
Avec plaisir le conduisit chez lui,
Mais dès le lendemain il sentit sa blessure,
Et se vit accablé de tristesse et d'ennui.

1. Soigneux, minutieux.

Dès qu'il le peut il retourne à la chasse,
Où de sa suite adroitement
Il s'échappe et se débarrasse
Pour s'égarer heureusement.
Des arbres et des monts les cimes élevées,
Qu'avec grand soin il avait observées,
Et les avis secrets de son fidèle amour,
Le guidèrent si bien que malgré les traverses
De cent routes diverses,
De sa jeune Bergère il trouva le séjour.
Il sut qu'elle n'a plus que son Père avec elle,
Que Grisélidis on l'appelle,
Qu'ils vivent doucement du lait de leurs brebis,
Et que de leur toison qu'elle seule elle file,
Sans avoir recours à la Ville,
Ils font eux-mêmes leurs habits.

Plus il la voit, plus il s'enflamme
Des vives beautés de son âme;
Il connaît, en voyant tant de dons précieux,
Que si la Bergère est si belle,
C'est qu'une légère étincelle
De l'esprit qui l'anime a passé dans ses yeux.

Il ressent une joie extrême,
D'avoir si bien placé ses premières amours,
Ainsi sans plus tarder, il fit dès le jour même
Assembler son Conseil et lui tint ce discours :

— Enfin aux Lois de l'Hyménée
Suivant vos vœux je me vais engager;
Je ne prends point ma femme en Pays étranger,
Je la prends parmi vous, belle, sage, bien née,
Ainsi que mes aïeux ont fait plus d'une fois,

Mais j'attendrai cette grande journée
A [1] vous informer de mon choix.

Dès que la nouvelle fut sue,
Partout elle fut répandue.
On ne peut dire avec combien d'ardeur
L'allégresse publique
De tous côtés s'explique;
Le plus content fut l'Orateur,
Qui par son discours pathétique
Croyait d'un si grand bien être l'unique Auteur.
Qu'il se trouvait homme de conséquence [2]!
Rien ne peut résister à la grande éloquence,
Disait-il sans cesse en son cœur.
Le plaisir fut de voir le travail inutile
Des Belles de toute la Ville
Pour s'attirer et mériter le choix
Du Prince leur Seigneur, qu'un air chaste et modeste
Charmait uniquement et plus que tout le reste,
Ainsi qu'il l'avait dit cent fois.

D'habit et de maintien toutes elles changèrent,
D'un ton dévot elles toussèrent,
Elles radoucirent leurs voix,
De demi-pied les coiffures baissèrent,
La gorge [3] se couvrit, les manches s'allongèrent,
A peine on leur voyait le petit bout des doigts.
Dans la Ville avec diligence,
Pour l'Hymen [4] dont le jour s'avance,
On voit travailler tous les Arts :
Ici se font de magnifiques chars
D'une forme toute nouvelle,

1. En français moderne : pour.
2. De grande importance.
3. La poitrine.
4. Comme « hyménée » : mariage.

Si beaux et si bien inventés,
Que l'or qui partout étincelle
En fait la moindre des beautés.

Là, pour voir aisément et sans aucun obstacle
Toute la pompe du spectacle,
On dresse de longs échafauds,
Ici de grands Arcs triomphaux,
Où du Prince Guerrier se célèbre la gloire,
Et de l'Amour sur lui l'éclatante victoire.
Là, sont forgés d'un art industrieux [1],
Ces feux qui par les coups d'un innocent tonnerre,
En effrayant la Terre,
De mille astres nouveaux embellissent les Cieux.
Là d'un ballet ingénieux
Se concerte avec soin l'agréable folie,
Et là d'un Opéra peuplé de mille Dieux,
Le plus beau que jamais ait produit l'Italie,
On entend répéter les airs mélodieux.
Enfin, du fameux Hyménée,
Arriva la grande journée.

Sur le fond d'un Ciel vif et pur,
A peine l'aurore vermeille
Confondait l'or avec l'azur,
Que partout en sursaut le beau sexe s'éveille;
Le Peuple curieux s'épand de tous côtés,
En différents endroits des Gardes sont postés
Pour contenir la Populace,
Et la contraindre à faire place.
Tout le Palais retentit de Clairons,
De flûtes, de hautbois, de rustiques musettes [2],
Et l'on n'entend aux environs
Que des tambours et des trompettes.

1. Plein d'adresse.
2. Instruments de musique à vent et à anche (cf. cornemuse).

Enfin le Prince sort entouré de sa Cour.
Il s'élève un long cri de joie,
Mais on est bien surpris quand au premier détour,
De la Forêt prochaine on voit qu'il prend la voie,
Ainsi qu'il faisait chaque jour.
Voilà, dit-on, son penchant qui l'emporte,
Et de ses passions, en dépit de l'Amour,
La Chasse est toujours la plus forte.

Il traverse rapidement
Les guérets de la plaine, et gagnant la montagne,
Il entre dans le bois au grand étonnement
De la Troupe qui l'accompagne.

Après avoir passé par différents détours,
Que son cœur amoureux se plaît à reconnaître,
Il trouve enfin la cabane champêtre
Où logent ses tendres amours.

Grisélidis de l'Hymen informée,
Par la voix de la Renommée,
En avait pris son bel habillement;
Et pour en aller voir la pompe magnifique,
De dessous sa case rustique
Sortait en ce même moment.

— Où courez-vous si prompte et si légère?
Lui dit le Prince, en l'abordant
Et tendrement la regardant;
Cessez de vous hâter, trop aimable Bergère :
La noce où vous allez, et dont je suis l'Époux,
Ne saurait se faire sans vous.

Oui, je vous aime, et je vous ai choisie
Entre mille jeunes beautés,
Pour passer avec vous le reste de ma vie,

Si toutefois mes vœux ne sont pas rejetés.
— Ah! dit-elle, Seigneur, je n'ai garde de [1] croire
Que je sois destinée à ce comble de gloire;
      Vous cherchez à vous divertir.
        — Non, non, dit-il, je suis sincère,
        J'ai déjà pour moi votre Père,
(Le Prince avait eu soin de l'en faire avertir.)
        Daignez, Bergère, y consentir,
        C'est là tout ce qui reste à faire.
Mais, afin qu'entre nous une solide paix
        Éternellement se maintienne,
Il faudrait me jurer que vous n'aurez jamais
        D'autre volonté que la mienne.

— Je le jure, dit-elle, et je vous le promets;
Si j'avais épousé le moindre du Village,
      J'obéirais, son joug me serait doux;
        Hélas! combien donc davantage,
        Si je viens à trouver en vous
        Et mon Seigneur et mon Époux.

        Ainsi le Prince se déclare,
Et pendant que la Cour applaudit à son choix,
Il porte [2] la Bergère à souffrir qu'on la pare
Des ornements qu'on donne aux Épouses des Rois.
Celles qu'à cet emploi leur devoir intéresse,
Entrent dans la cabane, et là diligemment
Mettent tout leur savoir et toute leur adresse
A donner de la grâce à chaque ajustement.

        Dans cette Hutte où l'on se presse,
        Les Dames admirent sans cesse
        Avec quel art la Pauvreté
        S'y cache sous la Propreté;

1. Je me garde bien de, je me refuse à.
2. Il persuade... de.

Et cette rustique Cabane,
Que couvre et rafraîchit un spacieux Platane,
Leur semble un séjour enchanté.

Enfin, de ce Réduit sort pompeuse et brillante
La Bergère charmante :
Ce ne sont qu'applaudissements
Sur sa beauté, sur ses habillements;
Mais sous cette pompe étrangère,
Déjà, plus d'une fois, le Prince a regretté
Des ornements de la Bergère
L'innocente simplicité.

Sur un grand char d'or et d'ivoire,
La Bergère s'assied pleine de majesté;
Le Prince y monte avec fierté,
Et ne trouve pas moins de gloire
A se voir comme Amant assis à son côté,
Qu'à marcher en triomphe après une victoire;
La Cour les suit et tous gardent le rang
Que leur donne leur charge [1] ou l'éclat de leur sang [2].
La Ville, dans les champs presque toute sortie,
Couvrait les plaines d'alentour,
Et du choix du Prince avertie,
Avec impatience attendait son retour.
Il paraît, on le joint. Parmi l'épaisse foule
Du Peuple qui se fend le char à peine roule;
Par les longs cris de joie à tout coup redoublés,
Les chevaux émus et troublés,
Se cabrent, trépignent, s'élancent,
Et reculent plus qu'ils n'avancent.

Dans le Temple [3] on arrive enfin,
Et là par la chaîne éternelle

1. Fonction officielle.
2. Le prestige de la famille où ils sont nés. La noblesse.
3. Sens générique : église.

D'une promesse solennelle,
Les deux Époux unissent leur destin;
Ensuite au Palais ils se rendent,
Où mille plaisirs les attendent,
Où la Danse, les Jeux, les Courses, les Tournois,
Répandent l'allégresse en différents endroits.
Sur le soir le blond Hyménée
De ses chastes douceurs couronna la journée.

Le lendemain, les différents États [1]
De toute la Province
Accourent haranguer la Princesse et le Prince
Par la voix de leurs Magistrats.

De ses Dames environnée,
Grisélidis, sans paraître étonnée,
En Princesse les entendit,
En Princesse leur répondit.
Elle fit toute chose avec tant de prudence,
Qu'il sembla que le Ciel eût versé ses trésors,
Avec encor plus d'abondance
Sur son âme que sur son corps.
Par son esprit, par ses vives lumières,
Du grand monde aussitôt elle prit les manières,
Et même dès le premier jour
Des talents, de l'humeur des Dames de sa Cour,
Elle se fit si bien instruire,
Que son bon sens jamais embarrassé
Eut moins de peine à les conduire
Que ses Brebis du temps passé.

Avant la fin de l'an, des fruits de l'Hyménée
Le Ciel bénit leur couche fortunée [2]
Ce ne fut pas un Prince, on l'eût bien souhaité;

1. Les Assemblées provinciales.
2. Favorisée par le sort.

Mais la jeune Princesse avait tant de beauté,
Que l'on ne songea plus qu'à conserver sa vie;
Le Père qui lui trouve un air doux et charmant,
    La venait voir de moment en moment,
       Et la Mère encor plus ravie
       La regardait incessamment.

       Elle voulut la nourrir elle-même :
— Ah! dit-elle, comment m'exempter de l'emploi
       Que ses cris demandent de moi,
       Sans une ingratitude extrême?
    Par un motif de Nature ennemi,
Pourrais-je bien vouloir de mon Enfant que j'aime,
       N'être la Mère qu'à demi?

Soit que le Prince eût l'âme un peu moins enflammée
       Qu'aux premiers jours de son ardeur,
       Soit que de sa maligne [1] humeur [2]
       La masse se fût rallumée,
       Et de son épaisse fumée
Eût obscurci ses sens et corrompu son cœur,
       Dans tout ce que fait la Princesse,
Il s'imagine voir peu de sincérité,
       Sa trop grande vertu le blesse,
C'est un piège qu'on tend à sa crédulité;
Son esprit inquiet et de trouble agité
       Croit tous les soupçons qu'il écoute,
       Et prend plaisir à révoquer en doute
       L'excès de sa félicité.
Pour guérir les chagrins dont son âme est atteinte,
Il la suit, il l'observe, il aime à la troubler
       Par les ennuis de la contrainte,
       Par les alarmes de la crainte,
       Par tout ce qui peut démêler

1. Mauvaise, méchante.
2. Tempérament, caractère.

          La vérité d'avec la feinte.
    — C'est trop, dit-il, me laisser endormir;
          Si ses vertus sont véritables,
    Les traitements les plus insupportables
          Ne feront que les affermir.
    Dans son Palais il la tient resserrée[1],
Loin de tous les plaisirs qui naissent à la Cour,
Et dans sa chambre, où seule elle vit retirée,
          A peine il laisse entrer le jour.
          Persuadé que la Parure
          Et le superbe Ajustement
Du sexe, que pour plaire a formé la Nature,
          Est le plus doux enchantement,
          Il lui demande avec rudesse
Les perles, les rubis, les bagues, les bijoux,
     Qu'il lui donna pour marque de tendresse,
Lorsque de son Amant il devint son Époux.

          Elle dont la vie est sans tache,
          Et qui n'a jamais eu d'attache
          Qu'à s'acquitter de son devoir,
          Les lui donne sans s'émouvoir,
Et même le voyant se plaire à les reprendre,
          N'a pas moins de joie à les rendre
          Qu'elle en eut à les recevoir.

    — Pour m'éprouver mon Époux me tourmente,
Dit-elle, et je vois bien qu'il ne me fait souffrir,
Qu'afin de réveiller ma vertu languissante,
Qu'un doux et long repos pourrait faire périr.
S'il n'a pas ce dessein, du moins suis-je assurée
Que telle est du Seigneur la conduite sur moi,
Et que de tant de maux l'ennuyeuse durée
N'est que pour[2] exercer ma constance et ma foi.

1. Enfermée.
2. Ne vise qu'à, n'a d'autre fin que de.

144

Pendant que tant de malheureuses
Errent au gré de leurs désirs,
Par mille routes dangereuses,
Après de faux et vains plaisirs;
Pendant que le Seigneur dans sa lente justice
Les laisse aller aux bords du précipice,
Sans prendre part à leur danger,
Par un pur mouvement de sa bonté suprême,
Il me choisit comme un enfant qu'il aime,
Et s'applique à me corriger.
Aimons donc sa rigueur utilement cruelle;
On n'est heureux qu'autant qu'on a souffert,
Aimons sa Bonté paternelle,
Et la main dont elle se sert.

Le Prince a beau la voir obéir sans contrainte
A tous ses ordres absolus :
— Je vois le fondement de cette vertu feinte,
Dit-il; et ce qui rend tous mes coups superflus,
C'est qu'ils n'ont porté leur atteinte [1]
Qu'à des endroits où son amour n'est plus.

Dans son Enfant, dans la jeune Princesse,
Elle a mis toute sa tendresse;
A l'éprouver si je veux réussir,
C'est là qu'il faut que je m'adresse,
C'est là que je puis m'éclaircir.

Elle venait de donner la mamelle
Au tendre Objet de son amour ardent,
Qui couché sur son sein se jouait avec elle
Et riait en la regardant :
— Je vois que vous l'aimez, lui dit-il; cependant
Il faut que je vous l'ôte en cet âge encor tendre,
Pour lui former les mœurs et pour la préserver

1. Ils ne l'ont touchée, frappée.

De certains mauvais airs qu'avec vous l'on peut prendre;
     Mon heureux sort m'a fait trouver
Une Dame d'esprit qui saura l'élever
Dans toutes les vertus et dans la politesse
       Que doit avoir une Princesse.
       Disposez-vous à la quitter,
       On va venir pour l'emporter.

Il la laisse à ces mots, n'ayant pas le courage,
      Ni les yeux assez inhumains,
      Pour voir arracher de ses mains
      De leur amour l'unique gage;
Elle, de mille pleurs, se baigne le visage,
      Et dans un morne accablement
Attend de son malheur le funeste moment.

Dès que d'une action si triste et si cruelle
Le ministre [1] odieux à ses yeux se montra,
     — Il faut obéir, lui dit-elle;
Puis prenant son Enfant qu'elle considéra,
    Qu'elle baisa d'une ardeur maternelle,
Qui de ses petits bras tendrement la serra,
     Toute en pleurs elle le livra.
     Ah, que sa douleur fut amère!
     Arracher l'enfant ou le cœur
     Du sein d'une si tendre Mère,
     C'est la même douleur.
    Près de la Ville était un Monastère,
     Fameux par son antiquité,
Où des Vierges vivaient dans une règle austère,
Sous les yeux d'une Abbesse illustre en piété.
     Ce fut là que dans le silence,
     Et sans déclarer sa naissance,
On déposa l'Enfant, et des bagues de prix,

---

1. Celui qui est chargé de l'exécution de l'ordre.

Sous l'espoir [1] d'une récompense
Digne des soins que l'on en aurait pris.

Le Prince qui tâchait d'éloigner par la chasse
Le vif remords qui l'embarrasse
Sur l'excès de sa cruauté,
Craignait de revoir la Princesse,
Comme on craint de revoir une fière Tigresse
A qui son faon [2] vient d'être ôté;
Cependant il en fut traité
Avec douceur, avec caresse,
Et même avec cette tendresse
Qu'elle eut aux plus beaux jours de sa prospérité.

Par cette complaisance et si grande et si prompte,
Il fut touché de regret et de honte;
Mais son chagrin [3] demeura le plus fort :
Ainsi, deux jours après, avec des larmes feintes
Pour lui porter encor de plus vives atteintes,
Il lui vint dire que la Mort,
De leur aimable Enfant avait fini le sort.

Ce coup inopiné mortellement la blesse,
Cependant malgré sa tristesse,
Ayant vu son Époux qui changeait de couleur,
Elle parut oublier son malheur,
Et n'avoir même de tendresse
Que pour le consoler de sa fausse douleur.

Cette bonté, cette ardeur sans égale
D'amitié conjugale,
Du Prince tout à coup désarmant la rigueur,
Le touche, le pénètre et lui change le cœur,
Jusques-là [4] qu'il lui prend envie
De déclarer que leur enfant

1. En faisant espérer.
2. Au XVIIᵉ siècle, ce n'était pas seulement le petit de la biche.
3. Inquiétude et mélancolie, humeur noire.
4. A ce point que.

Jouit encore de la vie;
Mais sa bile s'élève et, fière, lui défend
De rien découvrir du mystère
Qu'il peut être utile de taire.

Dès ce bienheureux jour, telle des deux Époux
Fut la mutuelle tendresse [1],
Qu'elle n'est point plus vive aux moments les plus doux
Entre l'Amant et la Maîtresse.
Quinze fois le Soleil pour former les saisons,
Habita tour à tour dans ses douze maisons [2],
Sans rien voir qui les désunisse :
Que si quelquefois par caprice
Il [3] prend plaisir à la fâcher,
C'est seulement pour empêcher
Que l'amour ne se ralentisse,
Tel que le Forgeron qui, pressant son labeur,
Répand un peu d'eau sur la braise
De sa languissante fournaise,
Pour en redoubler la chaleur.

Cependant la jeune Princesse
Croissait en esprit, en sagesse;
A la douceur, à la naïveté
Qu'elle tenait de son aimable Mère,
Elle joignit de son illustre Père
L'agréable et noble fierté;
L'amas [4] de ce qui plaît dans chaque caractère
Fit une parfaite beauté.
Partout comme un Astre elle brille;
Et par hasard un Seigneur de la Cour,
Jeune, bien fait et plus beau que le jour,
L'ayant vu paraître à la grille [5],

1. Inversion : La tendresse des époux fut telle que.
2. Quinze années constituées des 12 mois.
3. Le prince.
4. Addition, combinaison.
5. La grille du couvent qui empêche le contact entre les religieuses et les visiteurs.

Conçut pour elle un violent amour.
Par l'instinct qu'au beau sexe a donné la Nature,
    Et que toutes les Beautés ont,
    De voir l'invisible blessure
Que font leurs yeux, au moment qu'ils la font,
    La Princesse fut informée
    Qu'elle était tendrement aimée.
Après avoir quelque temps résisté,
Comme on le doit avant que de se rendre,
    D'un amour également tendre
    Elle l'aima de son côté.

    Dans cet Amant, rien n'était à reprendre;
Il était beau, vaillant, né d'illustres aïeux
    Et dès longtemps [1] pour en faire son Gendre
    Sur lui le Prince avait jeté les yeux.
Ainsi donc avec joie il apprit la nouvelle
    De l'ardeur tendre et mutuelle
    Dont brûlaient ces jeunes Amants;
Mais il lui prit une bizarre envie
De leur faire acheter par de cruels tourments,
    Le plus grand bonheur de leur vie.

— Je me plairai, dit-il, à les rendre contents;
    Mais il faut que l'Inquiétude,
    Par tout ce qu'elle a de plus rude,
    Rende encor leurs feux plus constants;
    De mon Épouse en même temps,
    J'exercerai [2] la patience,
    Non point, comme jusqu'à ce jour,
    Pour rassurer ma folle défiance;
    Je ne dois plus douter de son amour.
Mais pour faire éclater aux yeux de tout le Monde
Sa Bonté, sa Douceur, sa Sagesse profonde,

1. Depuis longtemps.
2. Je mettrai à l'épreuve.

Afin que de ces dons si grands, si précieux,
      La Terre se voyant parée,
      En soit de respect pénétrée,
Et par reconnaissance en rende grâce aux Cieux.

Il déclare en public que manquant de lignée,
En qui l'État un jour retrouve son Seigneur,
Que la fille qu'il eut de son fol Hyménée
      Étant morte aussitôt que née,
    Il doit ailleurs chercher plus de bonheur;
Que l'Épouse qu'il prend est d'illustre naissance,
    Qu'en un Couvent on l'a jusqu'à ce jour
      Fait élever dans l'innocence,
Et qu'il va par l'Hymen couronner son amour.

    On peut juger à quel point fut cruelle
Aux deux jeunes Amants cette affreuse nouvelle;
Ensuite, sans marquer ni chagrin ni douleur,
      Il avertit son Épouse fidèle
      Qu'il faut qu'il se sépare d'elle
    Pour éviter un extrême malheur;
Que le Peuple indigné de sa basse naissance
Le force à prendre ailleurs une digne alliance.

      — Il faut, dit-il, vous retirer
    Sous votre toit de chaume et de fougère
Après avoir repris vos habits de Bergère,
      Que je vous ai fait préparer.

Avec une tranquille et muette constance,
La Princesse entendit prononcer sa sentence;
    Sous les dehors d'un visage serein
      Elle dévorait son chagrin,
Et sans que la douleur diminuât ses charmes,
    De ses beaux yeux tombaient de grosses larmes,

Ainsi que quelquefois au retour du Printemps,
　Il fait Soleil et pleut en même temps.

— Vous êtes mon Époux, mon Seigneur, et mon Maître,
(Dit-elle en soupirant, prête à s'évanouir),
Et quelque affreux que soit ce que je viens d'ouïr,
　　Je saurai vous faire connaître
Que rien ne m'est si cher que de vous obéir.

Dans sa chambre aussitôt seule elle se retire,
Et là se dépouillant de ses riches habits,
　　Elle reprend paisible et sans rien dire,
　　　Pendant que son cœur en soupire,
　　Ceux qu'elle avait en gardant ses brebis.

　　　En cet humble et simple équipage,
Elle aborde le Prince et lui tient ce langage :

　　　　— Je ne puis m'éloigner de vous
　　　Sans le pardon [1] d'avoir su vous déplaire;
　　　Je puis souffrir le poids de ma misère,
Mais je ne puis, Seigneur, souffrir votre courroux;
Accordez cette grâce à mon regret sincère,
Et je vivrai contente en mon triste séjour,
　　　Sans que jamais le Temps altère
Ni mon humble respect, ni mon fidèle amour.
Tant de soumission et tant de grandeur d'âme
　　　　Sous un si vil habillement,
Qui dans le cœur du Prince, en ce même moment,
Réveilla tous les traits de sa première flamme,
Allaient casser l'arrêt de son bannissement.
　　　Ému par de si puissants charmes,
　　　Et prêt à répandre des larmes,
　　　Il commençait à s'avancer
　　　　Pour l'embrasser;

1. Sans me faire pardonner, sans que vous me pardonniez.

Quand tout à coup l'impérieuse gloire
D'être ferme en son sentiment
Sur son amour remporta la victoire,
Et le fit en ces mots répondre durement :
— De tout le temps passé j'ai perdu la mémoire,
Je suis content de votre repentir,
Allez, il est temps de partir.

Elle part aussitôt, et regardant son Père
Qu'on avait revêtu de son rustique habit,
Et qui, le cœur percé d'une douleur amère,
Pleurait un changement si prompt et si subit :
— Retournons, lui dit-elle, en nos sombres bocages,
Retournons habiter nos demeures sauvages,
Et quittons sans regret la pompe des Palais;
Nos cabanes n'ont pas tant de magnificence,
Mais on y trouve avec plus d'innocence,
Un plus ferme repos, une plus douce paix.

Dans son désert à grand'peine arrivée,
Elle reprend et quenouille et fuseaux,
Et va filer au bord des mêmes eaux
Où le Prince l'avait trouvée.
Là son cœur tranquille et sans fiel
Cent fois le jour demande au Ciel
Qu'il comble son Époux de gloire, de richesses,
Et qu'à tous ses désirs il ne refuse rien;
Un Amour nourri de caresses
N'est pas plus ardent que le sien.

Ce cher Époux qu'elle regrette
Voulant encore l'éprouver,
Lui fait dire dans sa retraite
Qu'elle ait à le venir trouver.

— Grisélidis, dit-il, dès qu'elle se présente,

Il faut que la Princesse à qui je dois demain
                Dans le Temple donner la main [1],
                De vous et de moi soit contente.
Je vous demande ici tous vos soins, et je veux
Que vous m'aidiez à plaire à l'objet de mes vœux;
Vous savez de quel air [2] il faut que l'on me serve,
                Point d'épargne, point de réserve;
Que tout sente le Prince, et le Prince amoureux.
                Employez toute votre adresse
                A parer son appartement,
                Que l'abondance, la richesse,
                La propreté, la politesse
                S'y fasse [3] voir également;
                Enfin songez incessamment [4]
                Que c'est une jeune Princesse
                        Que j'aime tendrement.
                Pour vous faire entrer davantage
                Dans les soins de votre devoir,
                Je veux ici vous faire voir
Celle qu'à bien servir mon ordre vous engage.

                Telle qu'aux Portes du Levant
                Se montre la naissante Aurore,
                Telle parut en arrivant
                La Princesse plus belle encore.
                Grisélidis à son abord
Dans le fond de son cœur sentit un doux transport
                De la tendresse maternelle;
                Du temps passé, de ses jours bienheureux,
                Le souvenir en son cœur se rappelle :
                — Hélas, ma fille, en soi-même dit-elle,
Si le Ciel favorable eût écouté mes vœux,
Serait presque aussi grande, et peut-être aussi belle.

1. C'est le geste de l'époux à l'épouse.
2. De quelle façon.
3. Accord avec le sujet le plus proche.
4. Sans cesse.

Pour la jeune Princesse en ce même moment,
Elle prit un amour si vif, si véhément,
         Qu'aussitôt qu'elle fut absente,
      En cette sorte au Prince elle parla,
Suivant, sans le savoir, l'instinct qui s'en mêla :
      — Souffrez, Seigneur, que je vous représente
         Que cette Princesse charmante,
         Dont vous allez être l'Époux,
Dans l'aise, dans l'éclat, dans la pourpre [1] nourrie,
Ne pourra supporter, sans en perdre la vie,
Les mêmes traitements que j'ai reçus de vous.

         Le besoin, ma naissance obscure,
         M'avaient endurcie aux travaux,
Et je pouvais souffrir toutes sortes de maux
         Sans peine et même sans murmure;
Mais elle qui jamais n'a connu la douleur,
         Elle mourra dès la moindre rigueur,
Dès la moindre parole un peu sèche, un peu dure;
         Hélas! Seigneur, je vous conjure
         De la traiter avec douceur.

— Songez, lui dit le Prince avec un ton sévère,
      A me servir selon votre pouvoir,
      Il ne faut pas qu'une simple Bergère
         Fasse [2] des leçons, et s'ingère [3]
         De m'avertir de mon devoir.
      Grisélidis, à ces mots, sans rien dire,
         Baisse les yeux et se retire.

Cependant pour l'Hymen les Seigneurs invités
         Arrivèrent de tous côtés;
         Dans une magnifique salle

1. C'est la couleur qui symbolisait le luxe, la dignité des familles les plus nobles, et des plus hautes fonctions.
2. Donne.
3. Se mêle.

Où le Prince les assembla
Avant que d'allumer la torche nuptiale,
En cette sorte il leur parla :
— Rien au monde après l'Espérance,
N'est plus trompeur que l'Apparence;
Ici l'on en peut voir un exemple éclatant.
Qui ne croirait que ma jeune Maîtresse,
Que l'Hymen va rendre Princesse,
Ne soit heureuse et n'ait le cœur content?
Il n'en est rien pourtant.

Qui pourrait s'empêcher de croire,
Que ce jeune Guerrier amoureux de la gloire[1],
N'aime à voir cet Hymen, lui qui dans les Tournois
Va sur tous ses Rivaux remporter la victoire?
Cela n'est pas vrai toutefois.

Qui ne croirait encor qu'en sa juste colère,
Grisélidis ne pleure et ne se désespère?
Elle ne se plaint point, elle consent à tout,
Et rien n'a pu pousser sa patience à bout.

Qui ne croirait enfin que de ma destinée,
Rien ne peut égaler la course fortunée,
En voyant les appas de l'objet de mes vœux?
Cependant si l'Hymen me liait de ses nœuds,
J'en concevrais une douleur profonde,
Et de tous les Princes du Monde
Je serais le plus malheureux.

L'Énigme vous paraît difficile à comprendre;
Deux mots vont vous la faire entendre,
Et ces deux mots feront évanouir
Tous les malheurs que vous venez d'ouïr.

1. Il désigne ainsi le jeune prince amoureux de sa fille.

Sachez, poursuivit-il, que l'aimable Personne
    Que vous croyez m'avoir blessé le cœur [1],
        Est ma Fille, et que je la donne
        Pour Femme à ce jeune Seigneur
        Qui l'aime d'un amour extrême,
        Et dont il est aimé de même.

        Sachez encor, que touché vivement
        De la patience et du zèle
        De l'Épouse sage et fidèle
        Que j'ai chassée indignement,
Je la reprends, afin que je répare
Par tout ce que l'amour peut avoir de plus doux,
        Le traitement dur et barbare
        Qu'elle a reçu de mon esprit jaloux.
        Plus grande sera mon étude [2]
        A prévenir tous ses désirs,
        Qu'elle ne fut dans mon inquiétude
        A l'accabler de déplaisirs;
Et si dans tous les temps doit vivre la mémoire [3]
Des ennuis dont son cœur ne fut point abattu,
Je veux que plus encore on parle de la gloire,
Dont j'aurai couronné sa suprême vertu.

        Comme quand un épais nuage
        A le jour obscurci [4],
    Et que le Ciel, de toutes parts noirci,
        Menace d'un affreux orage;
Si de ce voile obscur par les vents écarté,
        Un brillant rayon de clarté
        Se répand sur le paysage,
        Tout rit et reprend sa beauté :

1. Dont vous croyez qu'elle m'a blessé le cœur; qui, croyez-vous, m'a blessé le cœur.
2. Sens latin : zèle, effort, passion.
3. Souvenir.
4. Inversion : a obscurci le jour.

Telle dans tous les yeux où régnait la tristesse,
Éclate tout à coup une vive allégresse.

Par ce prompt éclaircissement,
La jeune Princesse ravie
D'apprendre que du Prince elle a reçu la vie,
Se jette à ses genoux qu'elle embrasse ardemment.
Son Père qu'attendrit une fille si chère,
La relève, la baise, et la mène à sa Mère,
A qui trop de plaisir en un même moment
Otait presque tout sentiment.
Son cœur qui, tant de fois en proie
Aux plus cuisants traits du malheur,
Supporta si bien la douleur,
Succombe au doux poids de la joie;
A peine de ses bras pouvait-elle serrer
L'aimable Enfant que le Ciel lui renvoie;
Elle ne pouvait que pleurer.

— Assez dans d'autres temps vous pourrez satisfaire [1]
Lui dit le Prince, aux tendresses du sang [2];
Reprenez les habits qu'exige votre rang,
Nous avons des noces à faire.
Au Temple on conduisit les deux jeunes Amants,
Où la mutuelle promesse
De se chérir avec tendresse
Affermit pour jamais leurs doux engagements.
Ce ne sont que plaisirs, que Tournois magnifiques,
Que Jeux, que Danses, que Musiques,
Et que Festins délicieux,
Où sur Grisélidis se tournent tous les yeux,
Où sa patience éprouvée [3]
Jusques au Ciel est élevée

1. Vous aurez bien d'autres occasions pour satisfaire.
2. L'amour qui unit, comme par le sang, la mère à sa fille.
3. Mise à l'épreuve et... prouvée.

Par mille éloges glorieux :
Des Peuples réjouis la complaisance est telle
Pour leur Prince capricieux,
Qu'ils vont jusqu'à louer son épreuve cruelle,
A qui d'une vertu si belle,
Si séante au beau sexe, et si rare en tous lieux,
On doit un si parfait modèle.

A MONSIEUR *** [1]

EN LUI ENVOYANT GRISÉLIDIS

Si je m'étais rendu à [2] tous les différents avis qui m'ont été donnés sur l'Ouvrage que je vous envoie, il n'y serait rien demeuré que le conte tout sec et tout uni, et en ce cas j'aurais mieux fait de n'y pas toucher et de le laisser dans son papier bleu [3] où il est depuis tant d'années. Je le lus d'abord à deux de mes Amis. — Pourquoi, dit l'un, s'étendre si fort sur le caractère de votre Héros? Qu'a-t-on à faire de [4] savoir ce qu'il faisait le matin dans son Conseil, et moins encore à quoi il se divertissait l'après-dînée? Tout cela est bon à retrancher [5]. — Otez-moi, je vous prie, dit l'autre, la réponse enjouée qu'il fait aux Députés de son Peuple, qui le pressent de se marier; elle ne convient point à un Prince grave et sérieux. Vous voulez bien encore, poursuivit-il, que je vous conseille de supprimer la longue description de votre chasse? Qu'importe tout cela au fond de votre histoire? Croyez-moi, ce sont de vains et ambitieux ornements, qui appauvrissent votre Poème au lieu de l'enrichir. Il en est de même, ajouta-t-il, des préparatifs qu'on fait pour

1. On ne connaît pas ce destinataire.
2. Si j'avais cédé à, si j'avais suivi.
3. Allusion à la couleur de la couverture des textes populaires de la célèbre « Bibliothèque Bleue », dont les ouvrages étaient diffusés par des colporteurs.
4. Que nous importe-t-il de...?
5. Supprimer.

le mariage du Prince, tout cela est oiseux et inutile. Pour vos Dames qui rabaissent leurs coiffures, qui couvrent leurs gorges, et qui allongent leurs manches, froide plaisanterie aussi bien que celle de l'Orateur qui s'applaudit de son éloquence. — Je demande encore, reprit celui qui avait parlé le premier, que vous ôtiez les réflexions chrétiennes de Grisélidis, qui dit que c'est Dieu qui veut l'éprouver; c'est un sermon hors de sa place. Je ne saurais encore souffrir les inhumanités de votre Prince, elles me mettent en colère, je les supprimerais. Il est vrai qu'elles sont de l'Histoire, mais il n'importe. J'ôterais encore l'Épisode du jeune Seigneur qui n'est là que pour épouser la jeune Princesse, cela allonge trop votre conte. — Mais, lui dis-je, le conte finirait mal sans cela. — Je ne saurais que vous dire, répondit-il, je ne laisserais pas que de [1] l'ôter.

A quelques jours de là, je fis la même lecture à deux autres de mes Amis, qui ne me dirent pas un seul mot sur les endroits dont je viens de parler, mais qui en reprirent quantité d'autres. — Bien loin de me plaindre de la rigueur de votre critique, leur dis-je, je me plains de ce qu'elle n'est pas assez sévère, vous m'avez passé une infinité d'endroits que l'on trouve très dignes de censure. — Comme quoi? dirent-ils. — On trouve, leur dis-je, que le caractère du Prince est trop étendu, et qu'on n'a que faire de savoir ce qu'il faisait le matin et encore moins l'après-dînée. — On se moque de vous, dirent-ils tous deux ensemble, quand on vous fait de semblables critiques. — On blâme, poursuivis-je, la réponse que fait le Prince à ceux qui le pressent de se marier, comme trop enjouée et indigne d'un

1. Je ne manquerais pas de...

Prince grave et sérieux. — Bon, reprit l'un d'eux; et ou est l'inconvénient qu'un jeune Prince d'Italie, pays où l'on est accoutumé à voir les hommes les plus graves et les plus élevés en dignité dire des plaisanteries, et qui d'ailleurs fait profession de [1] mal parler, et des femmes et du mariage, matières si sujettes à la raillerie, se soit un peu réjoui sur cet article? Quoi qu'il en soit, je vous demande grâce pour cet endroit comme pour celui de l'Orateur qui croyait avoir converti le Prince, et pour le rabaissement des coiffures; car ceux qui n'ont pas aimé la réponse enjouée du Prince ont bien la mine [2] d'avoir fait main basse sur ces deux endroits-là. — Vous l'avez deviné, lui dis-je. Mais d'un autre côté, ceux qui n'aiment que les choses plaisantes n'ont pu souffrir les réflexions chrétiennes de la Princesse, qui dit que c'est Dieu qui la veut éprouver. Ils prétendent que c'est un sermon hors de propos. — Hors de propos? reprit l'autre; non seulement ces réflexions conviennent au sujet, mais elles y sont absolument nécessaires. Vous aviez besoin de rendre croyable la Patience de votre Héroïne; et quel autre moyen aviez-vous que de lui faire regarder les mauvais traitements de son Époux comme venant de la main de Dieu? Sans cela, on la prendrait pour la plus stupide de toutes les femmes, ce qui ne ferait pas assurément un bon effet.

— On blâme encore, leur dis-je, l'Épisode du jeune Seigneur qui épouse la jeune Princesse. — On a tort, reprit-il; comme votre Ouvrage est un véritable Poème, quoique vous lui donniez le titre de Nouvelle, il faut qu'il n'y ait rien à désirer quand il finit. Cependant si la jeune Princesse s'en retour-

---

1. Se donne publiquement pour occupation de...
2. Leurs critiques précédentes font supposer, conjecturer que...

nait dans son Couvent sans être mariée après s'y être attendue, elle ne serait point contente ni ceux qui liraient la Nouvelle.

Ensuite de [1] cette conférence, j'ai pris le parti de laisser mon Ouvrage tel à peu près qu'il a été lu dans l'Académie. En un mot, j'ai eu soin de corriger les choses qu'on m'a fait voir être mauvaises en elles-mêmes; mais à l'égard de celles que j'ai trouvées n'avoir point d'autre défaut que de n'être pas au goût de quelques personnes peut-être un peu trop délicates, j'ai cru n'y devoir pas toucher.

> Est-ce une raison décisive
> D'ôter un bon mets d'un repas,
> Parce qu'il s'y trouve un Convive
> Qui par malheur ne l'aime pas?
> Il faut que tout le monde vive,
> Et que les mets, pour plaire à tous,
> Soient différents comme les goûts.

Quoi qu'il en soit, j'ai cru devoir m'en remettre au Public, qui juge toujours bien. J'apprendrai de lui ce que j'en dois croire, et je suivrai exactement tous ses avis, s'il m'arrive jamais de faire une seconde édition de cet Ouvrage.

1. A la suite de.

Peau d'Ane

CONTE

A MADAME LA MARQUISE DE L...[1]

Il est des gens de qui l'esprit guindé,
Sous un front jamais déridé,
Ne souffre, n'approuve et n'estime
Que le pompeux et le sublime;
Pour moi, j'ose poser en fait
Qu'en de certains moments l'esprit le plus parfait
Peut aimer sans rougir jusqu'aux Marionnettes[2];
Et qu'il est des temps et des lieux
Où le grave et le sérieux
Ne valent pas d'agréables sornettes.
Pourquoi faut-il s'émerveiller
Que la Raison la mieux sensée,
Lasse souvent de trop veiller,
Par des contes d'Ogre et de Fée
Ingénieusement bercée,
Prenne plaisir à sommeiller?

Sans craindre donc qu'on me condamne
De mal employer mon loisir,
Je vais, pour contenter votre juste désir,
Vous conter tout au long l'histoire de Peau d'Ane.

Il était une fois un Roi
Le plus grand qui fût sur la Terre,

1. La marquise de Lambert, qui tenait un salon fameux.
2. Dès la fin du XVIe siècle, il y avait à Paris des théâtres de marionnettes.

Aimable en Paix, terrible en Guerre,
Seul enfin comparable à soi;
Ses voisins le craignaient, ses États étaient calmes,
Et l'on voyait de toutes parts
Fleurir, à l'ombre de ses palmes,
Et les Vertus et les beaux Arts.
Son aimable Moitié, sa Compagne fidèle,
Était si charmante et si belle,
Avait l'esprit si commode et si doux
Qu'il était encor avec elle
Moins heureux Roi qu'heureux Époux.
De leur tendre et chaste Hyménée
Plein de douceur et d'agrément,
Avec tant de vertus une fille était née
Qu'ils se consolaient aisément
De n'avoir pas de plus ample lignée.

Dans son vaste et riche Palais
Ce n'était que magnificence,
Partout y fourmillait une vive abondance
De Courtisans et de Valets;
Il avait dans son Écurie
Grands et petits chevaux de toutes les façons,
Couverts de beaux caparaçons,
Raides d'or et de broderie;
Mais ce qui surprenait tout le monde en entrant
C'est qu'au lieu le plus apparent,
Un maître Ane étalait ses deux grandes oreilles;
Cette injustice vous surprend
Mais lorsque vous saurez ses vertus non pareilles,
Vous ne trouverez pas que l'honneur fût trop grand.
Tel et si net le forma la nature
Qu'il ne faisait jamais d'ordure,
Mais bien beaux Écus [1] au soleil

---

1. Notons l'absence d'article. Les premiers datent de Louis XV.

Et Louis de toute manière[1]
Qu'on allait recueillir sur la blonde[2] litière
　　Tous les matins à son réveil.
　　Or le Ciel qui parfois se lasse
　　De rendre les hommes contents,
Qui toujours à ses biens mêle quelque disgrâce
　　Ainsi que la pluie au beau temps,
　　Permit qu'une âpre maladie
Tout à coup de la Reine attaquât les beaux jours.
　　Partout on cherche du secours,
Mais ni la Faculté qui le Grec étudie[3],
　　Ni les Charlatans ayant cours[4],
Ne purent tous ensemble arrêter l'incendie
Que la fièvre allumait en s'augmentant toujours.

　　Arrivée à sa dernière heure
　　Elle dit au Roi son Époux :
　　— Trouvez bon qu'avant que je meure
　　J'exige une chose de vous;
　　C'est que s'il vous prenait envie
De vous remarier quand je n'y serai plus...
　　— Ha! dit le Roi, ces soins sont superflus,
　　Je n'y songerai de ma vie,
　　Soyez en repos là-dessus.
　　— Je le crois bien, reprit la Reine,
Si j'en prends à témoin votre amour véhément;
　　Mais, pour m'en rendre plus certaine
　　Je veux avoir votre serment,
Adouci toutefois par ce tempérament[5]
Que si vous rencontrez une femme plus belle,
　　Mieux faite et plus sage que moi,
Vous pourrez franchement[6] lui donner votre foi

1. De toute sorte, de toute nature.
2. Couleur de la paille, ...et de l'or.
3. La Faculté de Médecine où l'on lit Hippocrate.
4. A la mode.
5. Quelque chose qui tempère; adoucissement.
6. En toute liberté.

Et vous marier avec elle.
            Sa confiance en ses attraits
Lui faisait regarder une telle promesse
        Comme un serment, surpris [1] avec adresse,
            De ne se marier jamais.
Le Prince jura donc, les yeux baignés de larmes,
            Tout ce que la Reine voulut;
            La Reine entre ses bras mourut,
Et jamais un Mari ne fit tant de vacarmes.
A l'ouïr sangloter et les nuits et les jours,
On jugea que son deuil ne lui durerait guère
            Et qu'il pleurait ses défuntes Amours
Comme un homme pressé qui veut sortir d'affaire.

On ne se trompa point. Au bout de quelques mois
Il voulut procéder à [2] faire un nouveau choix;
            Mais ce n'était pas chose aisée,
            Il fallait garder son serment
            Et que la nouvelle Épousée
            Eût plus d'attraits et d'agrément
Que celle qu'on venait de mettre au monument [3].
            Ni la Cour en beautés fertile,
            Ni la Campagne, ni la Ville,
            Ni les Royaumes d'alentour
            Dont on alla faire le tour,
            N'en purent fournir une telle.
            L'Infante seule était plus belle
        Et possédait certains tendres appas
            Que la défunte n'avait pas.
            Le Roi le remarqua lui-même
            Et brûlant d'un amour extrême,
            Alla follement s'aviser
Que par cette raison il devait l'épouser.
            Il trouva même un Casuiste

1. Obtenu à l'improviste.
2. Se mettre à.
3. Enterrer.

Qui jugea que le cas se pouvait proposer.
Mais la jeune Princesse, triste
D'ouïr parler d'un tel amour,
Se lamentait et pleurait nuit et jour.

De mille chagrins l'âme pleine,
Elle alla trouver sa Marraine
Loin dans une grotte à l'écart,
De Nacre et de Corail richement étoffée [1];
C'était une admirable Fée
Qui n'eut jamais de pareille en son Art.
Il n'est pas besoin qu'on vous die [2]
Ce qu'était une Fée en ces bienheureux temps,
Car je suis sûr que votre Mie
Vous l'aura dit dès vos plus jeunes ans.

— Je sais, dit-elle, en voyant la Princesse,
Ce qui vous fait venir ici,
Je sais de votre cœur la profonde tristesse,
Mais avec moi n'ayez plus de souci.
Il n'est rien qui vous puisse nuire
Pourvu qu'à mes conseils vous vous laissiez conduire;
Votre Père, il est vrai, voudrait vous épouser;
Écouter sa folle demande
Serait une faute bien grande,
Mais sans le contredire [3] on le peut refuser.

Dites-lui qu'il faut qu'il vous donne
Pour rendre vos désirs contents,
Avant qu'à son amour votre cœur s'abandonne,
Une robe qui soit de la couleur du Temps.
Malgré tout son pouvoir et toute sa richesse,
Quoique le Ciel en tout favorise ses vœux,
Il ne pourra jamais accomplir sa promesse.

1. Au sens large : ornée.
2. Subjonctif ancien.
3. S'opposer par des mots à sa volonté.

Aussitôt la jeune Princesse
L'alla dire en tremblant à son Père amoureux,
Qui, dans le moment, fit entendre
Aux Tailleurs les plus importants
Que s'ils ne lui faisaient, sans trop le faire attendre,
Une Robe qui fût de la couleur du Temps,
Ils pouvaient s'assurer [1] qu'il les ferait tous pendre.

Le second jour ne luisait pas encor
Qu'on apporta la robe désirée;
Le plus beau bleu de l'Empyrée [2]
N'est pas, lorsqu'il est ceint de gros nuages d'or,
D'une couleur plus azurée.
De joie et de douleur l'Infante pénétrée
Ne sait que dire, ni comment
Se dérober à son engagement.
— Princesse, demandez-en une,
Lui dit sa Marraine tout bas,
Qui, plus brillante et moins commune,
Soit de la couleur de la Lune.
Il ne vous la donnera pas.
A peine la Princesse en eut fait la demande
Que le Roi dit à son Brodeur :
— Que l'astre de la Nuit n'ait pas plus de splendeur
Et que dans quatre jours, sans faute, on me la rende.

Le riche habillement fut fait au jour marqué,
Tel que le Roi s'en était expliqué.
Dans les Cieux où la Nuit a déployé ses voiles,
La Lune est moins pompeuse en sa robe d'argent,
Lors même qu'au milieu de son cours diligent [3]
Sa plus vive clarté fait pâlir les étoiles.

1. Être sûrs.
2. Chez les Anciens, qui croyaient l'Univers fini et clos, la partie la plus haute du ciel.
3. Qui accomplit sa tâche bien et promptement.

La Princesse admirant ce merveilleux habit,
Était à consentir presque délibérée[1];
         Mais par sa Marraine inspirée,
         Au Prince amoureux elle dit :
         — Je ne saurais être contente
Que je n'aie une Robe encore plus brillante
         Et de la couleur du Soleil.
Le Prince, qui l'aimait d'un amour sans pareil,
Fit venir aussitôt un riche Lapidaire
         Et lui commanda de la faire
D'un superbe tissu d'or et de diamants,
Disant que s'il manquait à le bien satisfaire,
Il le ferait mourir au milieu des tourments.
Le Prince fut exempt de s'en donner la peine,
         Car l'ouvrier industrieux,
         Avant la fin de la semaine,
      Fit apporter l'ouvrage précieux
         Si beau, si vif, si radieux,
         Que le blond Amant de Climène[2],
         Lorsque sur la voûte des Cieux
         Dans son char d'or il se promène,
D'un plus brillant éclat n'éblouit pas les yeux.

L'Infante que ces dons achèvent de confondre,
A son Père, à son Roi ne sait plus que répondre.
Sa Marraine aussitôt la prenant par la main :
      — Il ne faut pas, lui dit-elle à l'oreille,
         Demeurer en si beau chemin;
         Est-ce une si grande merveille
      Que tous ces dons que vous en recevez
      Tant qu'il aura l'Ane que vous savez,
         Qui d'écus d'or sans cesse emplit sa bourse?
Demandez-lui la peau de ce rare Animal,

---

1. Déterminée.
2. Femme de la mythologie grecque, qui eut pour « blond Amant » Phébus, le dieu du Soleil.

Comme il est toute sa ressource
Vous ne l'obtiendrez pas, ou je raisonne mal.

Cette Fée était bien savante,
Et cependant elle ignorait encor
Que l'amour violent, pourvu qu'on le contente,
Compte pour rien l'argent et l'or;
La peau fut galamment aussitôt accordée
Que l'Infante l'eut demandée.

Cette Peau, quand on l'apporta,
Terriblement l'épouvanta
Et la fit de son sort amèrement se plaindre.
Sa Marraine survint, et lui représenta [1]
Que quand on fait le bien on ne doit jamais craindre,
Qu'il faut laisser penser au Roi
Qu'elle est tout à fait disposée
A subir avec lui la conjugale Loi,
Mais qu'au même moment, seule et bien déguisée,
Il faut qu'elle s'en aille en quelque État lointain
Pour éviter un mal si proche et si certain.

— Voici, poursuivit-elle, une grande cassette
Où nous mettrons tous vos habits,
Votre miroir, votre toilette,
Vos diamants et vos rubis.
Je vous donne encor ma Baguette;
En la tenant en [2] votre main,
La cassette suivra votre même [3] chemin,
Toujours sous la Terre cachée;
Et lorsque vous voudrez l'ouvrir,
A peine mon bâton la Terre aura touchée
Qu'aussitôt à vos yeux elle viendra s'offrir.

1. Expliqua, fit connaître et comprendre.
2. Grammaire : si vous tenez la baguette.
3. Grammaire : le même chemin que vous.

Pour vous rendre méconnaissable,
La dépouille de l'Ane est un masque admirable.
Cachez-vous bien dans cette peau,
On ne croira jamais, tant elle est effroyable,
Qu'elle renferme rien de beau.
La Princesse ainsi travestie
De chez la sage Fée à peine fut sortie,
Pendant la fraîcheur du matin,
Que le Prince qui, pour la Fête
De son heureux Hymen, s'apprête,
Apprend tout effrayé son funeste destin.
Il n'est point de maison, de chemin, d'avenue,
Qu'on ne parcoure promptement;
Mais on s'agite vainement,
On ne peut deviner ce qu'elle est devenue.

Partout se répandit un triste et noir chagrin;
Plus de Noces, plus de Festin,
Plus de Tarte, plus de Dragées;
Les Dames de la Cour toutes découragées
N'en dînèrent point la plupart;
Mais du Curé surtout la tristesse fut grande,
Car il en déjeuna fort tard,
Et qui, pis est, n'eut point d'offrande.

L'Infante cependant poursuivait son chemin,
Le visage couvert d'une vilaine crasse;
A tous Passants, elle tendait la main,
Et tâchait, pour servir [1], de trouver une place.
Mais les moins délicats et les plus malheureux,
La voyant si maussade et si pleine d'ordure,
Ne voulaient écouter ni retirer chez eux
Une si sale créature.

Elle alla donc bien loin, bien loin, encor plus loin;

1. Pour devenir servante.

Enfin elle arriva dans une Métairie
    Où la Fermière avait besoin
    D'une souillon, dont l'industrie [1]
Allât jusqu'à savoir bien laver des torchons,
    Et nettoyer l'auge aux Cochons.

On la mit dans un coin au fond de la cuisine
    Où les Valets, insolente vermine,
    Ne faisaient que la tirailler,
    La contredire et la railler;
    Ils ne savaient quelle pièce [2] lui faire,
    La harcelant à tout propos;
    Elle était la butte ordinaire
De tous leurs quolibets et de tous leurs bons mots.

Elle avait le Dimanche un peu plus de repos,
Car ayant du matin fait sa petite affaire,
Elle entrait dans sa chambre et tenant son huis [3] clos
Elle se décrassait, puis ouvrait sa cassette,
    Mettait proprement sa toilette,
    Rangeait dessus ses petits pots;
Devant son grand miroir, contente et satisfaite,
De la Lune tantôt la robe elle mettait,
Tantôt celle où le feu du Soleil éclatait,
    Tantôt la belle robe bleue
Que tout l'azur des Cieux ne saurait égaler;
Avec ce chagrin seul que leur traînante queue [4]
Sur le plancher trop court ne pouvait s'étaler.
Elle aimait à se voir jeune, vermeille et blanche
Et plus brave [5] cent fois que nulle autre n'était;
    Ce doux plaisir la sustentait [6]
Et la menait jusqu'à l'autre Dimanche.

1. Adresse, savoir faire.
2. Tracas.
3. Porte.
4. La traîne des robes des dames de qualité.
5. Élégante, chic.
6. Soutenait.

J'oubliais à [1] dire en passant
Qu'en cette grande Métairie,
D'un Roi magnifique et puissant
Se faisait la Ménagerie,
Que là, Poules de Barbarie,
Râles, Pintades, Cormorans,
Oisons musqués, Canes Petières,
Et mille autres oiseaux de bizarres manières,
Entre eux presque tous différents,
Remplissaient à l'envi dix cours toutes entières.

Le fils du Roi dans ce charmant séjour
Venait souvent, au retour de la Chasse,
Se reposer, boire à la glace [2]
Avec les Seigneurs de sa Cour.
Tel ne fut point le beau Céphale [3] :
Son air était Royal, sa mine martiale
Propre à faire trembler les plus fiers bataillons.
Peau d'Ane de fort loin le vit avec tendresse,
Et reconnut par cette hardiesse
Que sous sa crasse et ses haillons
Elle gardait encor le cœur d'une Princesse.

— Qu'il a l'air grand, quoiqu'il l'ait négligé,
Qu'il est aimable, disait-elle,
Et que bienheureuse est la belle
A qui son cœur est engagé!
D'une robe de rien s'il m'avait honorée,
Je m'en trouverais plus parée
Que de toutes celles que j'ai.

Un jour le jeune Prince, errant à l'aventure
De basse-cour en basse-cour,
Passa dans une allée obscure

1. De.
2. C'est l'époque ou les riches se font constituer des glacières souterraines
3. Myth. : chasseur qui mit à l'épreuve l'amour de sa femme.

Où de Peau d'Ane était l'humble séjour.
Par hasard il mit l'œil au trou de la serrure.
        Comme il était fête ce jour[1],
        Elle avait pris une riche parure
        Et ses superbes vêtements
Qui, tissus de fin or et de gros diamants,
Égalaient du Soleil la clarté la plus pure.

        Le Prince au gré de son désir
        La contemple et ne peut qu'à peine,
        En la voyant, reprendre haleine,
        Tant il est comblé de plaisir.
Quels que soient les habits, la beauté du visage,
        Son beau tour, sa vive blancheur,
        Ses traits fins, sa jeune fraîcheur
        Le touchent cent fois davantage;
        Mais un certain air de grandeur,
Plus encore une sage et modeste pudeur,
Des beautés de son âme, assuré témoignage,
        S'emparèrent de tout son cœur.

Trois fois dans la chaleur du feu qui le transporte,
        Il voulut enfoncer la porte;
        Mais croyant voir une Divinité,
Trois fois par le respect son bras fut arrêté.

        Dans le Palais, pensif il se retire
        Et là, nuit et jour, il soupire;
        Il ne veut plus aller au Bal
        Quoiqu'on soit dans le Carnaval.
        Il hait la Chasse, il hait la Comédie[2],
Il n'a plus d'appétit, tout lui fait mal au cœur,
        Et le fond de sa maladie
        Est une triste et mortelle langueur.

1. Comme c'était un jour de fête.
2. Le théâtre.

Il s'enquit quelle était cette Nymphe admirable
Qui demeurait dans une basse-cour
Au fond d'une allée effroyable,
Où l'on ne voit goutte en plein jour.
C'est, lui dit-on, Peau d'Ane, en rien Nymphe ni belle
Et que Peau d'Ane l'on appelle,
A cause de la Peau qu'elle met sur son cou;
De l'Amour c'est le vrai remède,
La bête en un mot la plus laide,
Qu'on puisse voir après le loup;
On a beau dire, il ne saurait le croire;
Les traits que l'amour a tracés
Toujours présents à sa mémoire
N'en seront jamais effacés.

Cependant la Reine sa Mère,
Qui n'a que lui d'enfant, pleure et se désespère;
De déclarer son mal elle le presse en vain,
Il gémit, il pleure, il soupire,
Il ne dit rien, si ce n'est qu'il désire
Que Peau d'Ane lui fasse un gâteau de sa main;
Et la Mère ne sait ce que son Fils veut dire.
— O Ciel! Madame, lui dit-on,
Cette Peau d'Ane est une noire Taupe
Plus vilaine encore et plus gaupe [1]
Que le plus sale Marmiton.
— N'importe, dit la Reine, il le faut satisfaire,
Et c'est à cela seul que nous devons songer.
Il aurait eu de l'or, tant l'aimait cette Mère,
S'il en avait voulu manger.

Peau d'Ane donc prend sa farine
Qu'elle avait fait bluter [2] exprès,
Pour rendre sa pâte plus fine,

1. Maussade et sale.
2. Tamiser.

Son sel, son beurre et ses œufs frais,
Et pour bien faire sa galette
S'enferme seule en sa chambrette.

D'abord elle se décrassa
Les mains, les bras et le visage,
Et prit un corps [1] d'argent que vite elle laça
Pour dignement faire l'ouvrage
Qu'aussitôt elle commença.

On dit qu'en travaillant un peu trop à la hâte,
De son doigt par hasard il tomba dans la pâte
Un de ses anneaux de grand prix;
Mais ceux qu'on tient savoir [2] le fin [3] de cette histoire
Assurent que par elle exprès il y fut mis;
Et pour moi franchement je l'oserais bien croire,
Fort sûr que quand le Prince à sa porte aborda,
Et par le trou la regarda,
Elle s'en était aperçue :
Sur ce point la femme est si drue [4],
Et son œil va si promptement,
Qu'on ne peut la voir un moment
Qu'elle ne sache qu'on l'a vue.
Je suis bien sûr encore, et j'en ferais serment
Qu'elle ne douta point que de son jeune Amant
La Bague ne fût bien reçue.

On ne pétrit jamais un si friand morceau,
Et le Prince trouva la galette si bonne
Qu'il ne s'en fallut rien que d'une faim gloutonne
Il n'avalât aussi l'anneau.
Quand il en vit l'émeraude admirable,
Et du jonc d'or le cercle étroit,

1. Partie haute de l'habit.
2. Ceux dont on croit qu'ils savent.
3. Ce qu'il y a de plus subtil, le secret.
4. Agile, vive.

Qui marquait la forme du doigt,
Son cœur en fut touché d'une joie incroyable;
Sous son chevet il le mit à l'instant,
Et son mal toujours augmentant,
Les Médecins sages d'expérience,
En le voyant maigrir de jour en jour,
Jugèrent tous par leur grande science
Qu'il était malade d'amour.

Comme l'Hymen, quelque mal qu'on en die,
Est un remède exquis [1] pour cette maladie,
On conclut à le marier;
Il s'en fit quelque temps prier,
Puis dit : Je le veux bien, pourvu que l'on me donne
En mariage la personne
Pour qui cet anneau sera bon.
A cette bizarre demande,
De la Reine et du Roi la surprise fut grande,
Mais il était si mal qu'on n'osa dire non.

Voilà donc qu'on se met en quête
De celle que l'anneau, sans nul égard du sang [2],
Doit placer dans un si haut rang;
Il n'en est point qui ne s'apprête
A venir présenter son doigt
Ni qui veuille céder son droit.

Le bruit ayant couru que pour prétendre au Prince,
Il faut avoir le doigt bien mince;
Tout Charlatan, pour être bienvenu,
Dit qu'il a le secret de le rendre menu;
L'une, en suivant son bizarre caprice,
Comme une rave le ratisse,
L'autre en coupe un petit morceau,

1. De choix.
2. Origine sociale, famille.

Une autre en le pressant croit qu'elle l'apetisse,
Et l'autre avec de certaine eau
Pour le rendre moins gros en fait tomber la peau;
Il n'est enfin point de manœuvre
Qu'une Dame ne mette en œuvre,
Pour faire que son doigt cadre bien à l'anneau.

L'essai fut commencé par les jeunes Princesses,
Les Marquises et les Duchesses;
Mais leurs doigts quoique délicats,
Étaient trop gros et n'entraient pas.
Les Comtesses, et les Baronnes,
Et toutes les nobles Personnes,
Comme elles, tour à tour, présentèrent leur main,
Et la présentèrent en vain.

Ensuite vinrent les Grisettes [1],
Dont les jolis et menus doigts,
Car il en est de très bien faites,
Semblèrent à l'anneau s'ajuster quelquefois.
Mais la Bague toujours trop petite ou trop ronde
D'un dédain presque égal rebutait tout le monde.

Il fallut en venir enfin
Aux Servantes, aux Cuisinières,
Aux Tortillons [2], aux Dindonnières,
En un mot à tout le fretin,
Dont les rouges et noires pattes,
Non moins que les mains délicates,
Espéraient un heureux destin.
Il s'y présenta mainte fille
Dont le doigt gros et ramassé,
Dans la Bague du Prince eût aussi peu passé,
Qu'un câble au travers d'une aiguille.

1. Jeunes filles vêtues de gris : de basse condition.
2. Petites servantes de village.

On crut enfin que c'était fait,
Car il ne restait en effet,
Que la pauvre Peau d'Ane au fond de la cuisine;
Mais comment croire, disait-on,
Qu'à régner le Ciel la destine!
Le Prince dit : Et pourquoi non?
Qu'on la fasse venir. Chacun se prit à rire,
Criant tout haut : Que veut-on dire,
De [1] faire entrer ici cette sale guenon!
Mais lorsqu'elle tira de dessous sa peau noire
Une petite main qui semblait de l'ivoire,
Qu'un peu de pourpre a coloré,
Et que de la Bague fatale,
D'une justesse sans égale
Son petit doigt fut entouré,
La Cour fut dans une surprise
Qui ne peut pas être comprise.

On la menait au Roi dans ce transport subit;
Mais elle demanda qu'avant que de paraître
Devant son Seigneur et son Maître,
On lui donnât le temps de prendre un autre habit.
De cet habit, pour la vérité dire,
De tous côtés on s'apprêtait à rire,
Mais lorsqu'elle arriva dans les Appartements,
Et qu'elle eut traversé les salles
Avec ses pompeux vêtements
Dont les riches beautés n'eurent jamais d'égales,
Que ses aimables cheveux blonds
Mêlés de diamants dont la vive lumière
En faisait autant de rayons,
Que ses yeux bleus, grands, doux et longs,
Qui, pleins d'une Majesté fière,
Ne regardent jamais sans plaire et sans blesser,
Et que sa taille enfin si menue et si fine

1. Est-ce que cela a du sens, de...?

Qu'avecque les deux mains on eût pu l'embrasser [1],
Montrèrent leurs appas et leur grâce divine,
Des Dames de la Cour, et de leurs ornements
      Tombèrent tous les agréments.

Dans la joie et le bruit de toute l'Assemblée,
      Le bon Roi ne se sentait pas
    De voir sa Bru posséder tant d'appas.
      La Reine en était affolée,
      Et le Prince, son cher Amant,
      De cent plaisirs l'âme comblée,
Succombait sous le poids de son ravissement.
Pour l'Hymen aussitôt chacun prit ses mesures;
Le Monarque en pria tous les Rois d'alentour,
    Qui, tous brillants de diverses parures,
Quittèrent leurs États pour être à ce grand jour.
On en vit arriver des climats de l'Aurore,
      Montés sur de grands Éléphants;
      Il en vint du rivage More,
      Qui, plus noirs et plus laids encore,
      Faisaient peur aux petits enfants;
      Enfin, de tous les coins du Monde
Il en débarque, et la Cour en abonde.

      Mais nul Prince, nul Potentat,
      N'y parut avec tant d'éclat
      Que le Père de l'Épousée,
      Qui, d'elle autrefois amoureux,
    Avait, avec le temps, purifié les feux
      Dont son âme était embrasée;
Il en avait banni tout désir criminel,
      Et de cette odieuse flamme
      Le peu qui restait dans son âme
N'en rendait que plus vif son amour paternel.

1. En faire le tour (avec les bras, ou les mains).

Dès qu'il la vit : Que béni soit le Ciel
Qui veut bien que je te revoie,
Ma chère enfant, dit-il, et tout pleurant de joie,
Courut tendrement l'embrasser;
Chacun à son bonheur voulut s'intéresser,
Et le futur Époux était ravi d'apprendre
Que d'un Roi si puissant il devenait le Gendre.
Dans ce moment la Marraine arriva
Qui raconta toute l'histoire,
Et par son récit acheva
De combler Peau d'Ane de gloire.

Il n'est pas malaisé de voir
Que le but de ce Conte est qu'un Enfant apprenne
Qu'il vaut mieux s'exposer à la plus rude peine
Que de manquer à son devoir;

Que la Vertu peut être infortunée
Mais qu'elle est toujours couronnée;

Que contre un fol amour et ses fougueux transports
La Raison la plus forte est une faible digue,
Et qu'il n'est point de si riches trésors
Dont un Amant ne soit prodigue;
Que de l'eau claire et du pain bis
Suffisent pour la nourriture
De toute jeune Créature,
Pourvu qu'elle ait de beaux habits;
Que sous le Ciel il n'est point de femelle
Qui ne s'imagine être belle,
Et qui souvent ne s'imagine encor
Que si des trois Beautés la fameuse querelle[1]
S'était démêlée avec elle,
Elle aurait eu la pomme d'or.

1. Myth. : sorte de concours de beauté entre trois déesses (Aphrodite, Athéna, Héra) tranché par Pâris qui remit la pomme d'or à Aphrodite.

Le Conte de Peau d'Ane est difficile à croire,
Mais tant que dans le Monde on aura des Enfants,
Des Mères et des Mères-grands,
On en gardera la mémoire.

Les souhaits ridicules

CONTE

A MADEMOISELLE DE LA C... [1]

Si vous étiez moins raisonnable,
Je me garderais bien de venir vous conter
 La folle et peu galante [2] *fable*
 Que je m'en vais vous débiter.
Une aune [3] *de Boudin en fournit la matière;*
 Une aune de Boudin, ma chère!
 Quelle pitié! c'est une horreur,
 S'écriait une Précieuse,
 Qui toujours tendre et sérieuse,
Ne veut ouïr parler que d'affaires de cœur.
 Mais vous qui mieux qu'Ame qui vive
 Savez charmer en racontant,
Et dont l'expression est toujours si naïve
 Que l'on croit voir ce qu'on entend,
 Qui savez que c'est la manière
 Dont quelque chose est inventé,
 Qui, beaucoup plus que la matière,
 De tout Récit fait la beauté;
Vous aimerez ma fable et sa moralité,
J'en ai, j'ose le dire, une assurance entière.

Il était une fois un pauvre Bûcheron
 Qui, las de sa pénible vie,

---

1. Peut-être M\ⁱˡᵉ de la Charce.
2. De bonnes manières, délicat.
3. Aune : 1,188 m.

Avait, disait-il, grande envie
De s'aller reposer aux bords de l'Achéron [1];
Représentant dans sa douleur profonde,
Que, depuis qu'il était au monde,
Le Ciel cruel n'avait jamais
Voulu remplir un seul de ses souhaits.

Un jour que, dans le Bois, il se mit à se plaindre,
A lui, la foudre en main, Jupiter s'apparut [2];
On aurait peine à bien dépeindre
La peur que le bonhomme en eut.
— Je ne veux rien, dit-il, en se jetant par terre,
Point de souhaits, point de Tonnerre,
Seigneur, demeurons but à but [3].
— Cesse d'avoir aucune crainte.
Je viens, dit Jupiter, touché de ta complainte,
Te faire voir le tort que tu me fais;
Écoute donc. Je te promets,
Moi qui du monde entier suis le souverain maître,
D'exaucer pleinement les trois premiers souhaits
Que tu voudras former sur quoi que ce puisse être;
Vois ce qui peut te rendre heureux,
Vois ce qui peut te satisfaire,
Et comme ton bonheur dépend tout [4] de tes vœux,
Songes-y bien avant que de les faire.

A ces mots Jupiter dans les Cieux remonta;
Et le gai Bûcheron, embrassant sa falourde [5],
Pour retourner chez lui sur son dos la jeta.
Cette charge jamais ne lui parut moins lourde.
— Il ne faut pas, disait-il, en trottant,
Dans tout ceci, rien faire à la légère;
Il faut, le cas est important,

1. Myth. : un des fleuves des Enfers.
2. Noter la forme réfléchie.
3. D'une manière égale, sans changement.
4. Entièrement.
5. Gros fagot.

En prendre avis de notre ménagère.
Çà, dit-il, en entrant sous son toit de fougère,
Faisons, Fanchon, grand feu, grand'chère,
Nous sommes riches à jamais,
Et nous n'avons qu'à faire des souhaits.
Là-dessus tout au long le fait il lui raconte;
A ce récit l'Épouse, vive et prompte,
Forma dans son esprit mille vastes projets;
Mais considérant l'importance
De s'y conduire avec prudence :
— Blaise, mon cher ami, dit-elle à son époux,
Ne gâtons rien par notre impatience;
Examinons bien entre nous
Ce qu'il faut faire en pareille occurrence;
Remettons à demain notre premier souhait
Et consultons notre chevet.
— Je l'entends bien ainsi, dit le bonhomme Blaise;
Mais va tirer du vin derrière ces fagots.
A son retour il but, et goûtant à son aise
Près d'un grand feu la douceur du repos,
Il dit, en s'appuyant sur le dos de sa chaise :
— Pendant que nous avons une si bonne braise,
Qu'une aune de Boudin viendrait bien à propos!

A peine acheva-t-il de prononcer ces mots,
Que sa femme aperçut, grandement étonnée,
Un Boudin fort long qui, partant
D'un des coins de la cheminée,
S'approchait d'elle en serpentant.
Elle fit un cri dans l'instant;
Mais jugeant que cette aventure
Avait pour cause le souhait
Que par bêtise toute pure
Son homme imprudent avait fait,
Il n'est point de pouille [1] et d'injure

1. Insulte, injure.

Que de dépit et de courroux
Elle ne dit au pauvre époux.
— Quand on peut, disait-elle, obtenir un Empire,
De l'or, des perles, des rubis,
Des diamants, de beaux habits,
Est-ce alors du Boudin qu'il faut que l'on désire?
— Eh bien, j'ai tort, dit-il, j'ai mal placé mon choix,
J'ai commis une faute énorme,
Je ferai mieux une autre fois.
— Bon, bon, dit-elle, attendez-moi sous l'orme [1],
Pour faire un tel souhait il faut être bien bœuf [2]!
L'époux plus d'une fois emporté de colère
Pensa faire tout bas le souhait d'être veuf,
Et peut-être, entre nous, ne pouvait-il mieux faire :
— Les hommes, disait-il, pour souffrir sont bien nés!
Peste soit du Boudin et du Boudin encore,
Plût à Dieu, maudite Pécore [3],
Qu'il te pendît au bout du nez!

La prière aussitôt du Ciel fut écoutée
Et dès que le Mari la parole lâcha,
Au nez de l'épouse irritée
L'aune de Boudin s'attacha.
Ce prodige imprévu grandement le fâcha.
Fanchon était jolie, elle avait bonne grâce,
Et pour dire sans fard la vérité du fait,
Cet ornement en cette place
Ne faisait pas un bon effet;
Si ce n'est qu'en pendant sur le bas du visage
Il l'empêchait de parler aisément,
Pour un époux merveilleux avantage,
Et si grand qu'il pensa, dans cet heureux moment,
Ne souhaiter rien davantage.

1. Expression proverbiale : qui se dit pour donner un rendez-vous où l'on n'a pas l'intention de se trouver.
2. Grossier et stupide.
3. Paysanne (péjor.).

— Je pourrais bien, disait-il à part soi,
    Après un malheur si funeste,
    Avec le souhait qui me reste,
    Tout d'un plein saut [1] me faire Roi.
Rien n'égale, il est vrai, la grandeur souveraine.
    Mais encore faut-il songer
    Comment serait faite la Reine
Et dans quelle douleur ce serait la plonger
    De l'aller placer sur un trône
    Avec un nez plus long qu'une aune.
    Il faut l'écouter sur cela
Et qu'elle-même elle soit la maîtresse
De devenir une grande Princesse
En conservant l'horrible nez qu'elle a,
    Ou de demeurer Bûcheronne
    Avec un nez comme une autre personne,
Et tel qu'elle l'avait avant ce malheur-là.

    La chose bien examinée,
Quoiqu'elle sût d'un sceptre et la force et l'effet
    Et que, quand on est couronnée,
    On a toujours le nez bien fait;
Comme au désir de plaire il n'est rien qui ne cède,
    Elle aima mieux garder son Bavolet [2]
    Que d'être Reine et d'être laide.

Ainsi le Bûcheron ne changea point d'état,
    Ne devint point grand Potentat,
    D'écus ne remplit point sa bourse,
Trop heureux d'employer le souhait qui restait,
    Faible bonheur, pauvre ressource,
A remettre sa femme en l'état qu'elle était.

    Bien est donc vrai qu'aux hommes misérables

---

1. D'un primesaut, sans transition, sans passer par les degrés.
2. Coiffure des jeunes paysannes de la région parisienne.

Aveugles, imprudents, inquiets [1], variables,
Pas n'appartient de faire des souhaits,
Et que peu d'entr'eux sont capables
De bien user des dons que le Ciel leur a faits.

table

FOLIO JUNIOR ÉDITION SPÉCIALE

Charles Perrault

Contes de ma mère l'Oye

Supplément réalisé par
Christian Biet,
Jean-Paul Brighelli
et Jean-Luc Rispail

Illustrations de Serge Bihannic

SOMMAIRE

AVEZ-VOUS DES DONS DE CONTEUR ?

AVEZ-VOUS DES DONS DE CONTEUR ?

Répondez aux questions suivantes en cochant la proposition qui correspond le mieux à votre caractère, comptez le nombre de □, ○, △ obtenus puis rendez-vous à la page des solutions.

1. *A table, vous êtes plutôt :*
A. Bavard ○
B. Réservé △
C. Bruyant □

2. *Sans doute avez-vous des ours en peluche :*
A. Vous ne pouvez vous endormir sans eux ○
B. Vous les avez longtemps martyrisés, éventrés △
C. Vous avez très vite pensé que tout cela n'était qu'enfantillage □

3. *Vous aimeriez être :*
A. Exceptionnellement beau ○
B. Comme tout le monde □
C. Comme vous êtes △

4. *Pour vous, les petits enfants représentent :*
A. Un rêve, plus tard... △
B. Des ignorants à qui il faut tout apprendre ○
C. Bien des soucis □

5. *En forêt :*
A. Vous ne vous promenez jamais seul □
B. Vous sortez des sentiers battus ○
C. Vous adorez, ou adoreriez, y camper △

6. *Au bord de la mer :*
A. Vous bronzez □
B. Vous bâtissez des châteaux de sable △
C. Vous faites de la plongée sous-marine ○

7. *Pour vous, un crapaud c'est :*
A. Un batracien □
B. Peut-être un Prince charmant métamorphosé par une Sorcière ○
C. L'ingrédient indispensable de toute recette magique △

8. *Au lit, le soir :*
A. Vous vous endormez comme une souche □
B. Vous réclameriez volontiers une histoire ○
C. Vous ne pouvez dormir qu'avec une veilleuse △

9. *Au bal masqué, vous vous déguisez :*
A. En clown △
B. En avocat □
C. En sirène ○

10. *Le moyen de locomotion de vos rêves, c'est :*
A. Une fusée △
B. Un tapis volant ○
C. Une voiture de course □

Solutions page 220

1
AU FIL DU TEXTE

Vingt questions pour commencer
(p. 7-77)

Répondez à ces vingt questions sans consulter le livre puis reportez-vous à la page des solutions : vos résultats vous indiqueront si vous avez fourni un effort de mémoire suffisant et si votre attention est assez soutenue quand vous lisez.

La Belle au bois dormant

1. *Les bonnes Fées qui président au Baptême de la Princesse sont :*
A. Sept
B. Huit
C. Neuf

2. *La Princesse se perce la main :*
A. D'une aiguille
B. D'un fuseau
C. D'un stylet

3. *Les premiers mots de la Princesse au Prince qui l'éveille sont :*
A. « Enfin, vous êtes venu ! »
B. « Est-ce la fin de mon tourment ? »
C. « Est-ce vous, mon Prince ? »

4. *A la fin du Conte, l'Ogresse meurt dévorée par :*
A. Des reptiles et des batraciens
B. Des fauves et des chiens
C. Des mangoustes et des lémuriens

5. *Un de ces trois dons n'est pas attribué à la Princesse :*
A. La beauté
B. La bonté
C. La grâce

Le Petit Chaperon rouge

6. *Le panier de la petite fille contient :*
A. Une galette et une bouteille de cidre
B. Une galette et un pot de beurre
C. Une galette et un pot de crème

7. *Le Loup crie au Petit Chaperon rouge :*
A. « Tire la bobinette, la chevillette cherra »
B. « Tire la chevillette, la bobinette cherra »
C. « Tire la chevinette, la bobillette cherra »

8. *Le Petit Chaperon rouge est sauvée par :*
A. Des bûcherons en randonnée
B. Un chasseur qui passait par là
C. Personne

La Barbe-bleue

9. *La vaisselle de la Barbe-bleue est :*
A. D'or et d'argent
B. De vermeil
C. De bronze

10. *Le cabinet interdit est :*
A. Attenant à la chambre de la Barbe-bleue
B. Au bout de la grande galerie
C. Dans la cave

11. *La clef est :*
A. Enchantée
B. Ensorcelée
C. Fée

12. *Dans le cabinet interdit, l'épouse de la Barbe-bleue découvre des cadavres de femmes :*
A. Étendues sur le sol
B. Attachées le long des murs
C. Pendues

13. *La Barbe-bleue veut :*
A. Décapiter son épouse
B. L'égorger
C. L'étriper

Le Chat botté

14. *Le héros envisage d'abord de :*
A. Manger son Chat
B. L'abandonner
C. Le vendre

15. *Le Chat nomme son maître :*
A. Marquis de Carabas
B. Marquis de Carabosse
C. Marquis de Baccaras

16. *Le Chat menace Faucheux et Moissonneurs de :*
A. Les assommer à coups de bâton de chêne
B. Les croquer comme des souris
C. Les hacher menu comme chair à pâté

17. *L'Ogre se change d'abord :*
A. En Lion
B. En Éléphant
C. En Souris

18. *La seconde moralité du Conte met l'accent sur :*
A. Le talent de s'enrichir
B. Le pouvoir de séduction
C. La chance au jeu

Les Fées

19. *La Fée qui vient à la fontaine est d'abord déguisée en :*
A. Pauvre femme
B. Grande Dame
C. Vieux crapaud

20. *Dans quel autre Conte apparaissent des serpents et des crapauds ?*
A. « Riquet à la Houppe »
B. « Les Souhaits ridicules »
C. « La Belle au bois dormant »

CHATEAU DE LA BELLE AU BOIS DORMANT

LA BELLE AU BOIS DORMANT

Le langage des Fées

Les dons accordés par les six premières Fées représentent les principales qualités que l'on souhaiterait voir réunies chez une jeune fille du XVIIᵉ siècle. Mais ces qualités vous semblent-elles adaptées au monde d'aujourd'hui ?
- De quelle façon les transformeriez-vous pour les rendre plus actuelles ?
- Si vous étiez une Fée, quels dons offririez-vous à un enfant qui vient de naître ? Seraient-ils les mêmes pour une fille que pour un garçon ?

Qu'y a-t-il au menu ?

La Reine Mère de ce Conte est une Ogresse. Tout comme l'Ogre du *Petit Poucet*, elle fait grand cas des enfants cuisinés.

1. Vous rappelez-vous avec quels animaux de substitution son Maître d'Hôtel la trompe ? Et vous, quels autres animaux auriez-vous donné à manger à l'Ogresse ?

2. Un Ogre n'est, au fond, qu'un anthropophage. Que savez-vous exactement des rites et des pratiques cannibales ?

LE PETIT CHAPERON ROUGE

Une petite paysanne

1. Quels renseignements ce Conte vous donne-t-il sur la vie des paysans au XVIIᵉ siècle ?

2. D'autres Contes font également intervenir des paysans. Lesquels ? Quels renseignements complémentaires vous fournissent-ils ?

3. D'une manière générale, on ne trouve dans ces Contes que des nobles et des paysans. Que savez-vous des conditions de vie des uns et des autres au XVIIᵉ siècle ?

4. On ne parle jamais de marchands, ni d'autres professions plus citadines. Pourquoi, à votre avis ?

5. Parmi les trois ordres de l'Ancien Régime, il en est un, pourtant très important, le « premier ordre de France », qui n'apparaît jamais dans les *Contes* de Perrault. Lequel ?

Histoires de Loups

Jusqu'à la fin du siècle dernier, les Loups ont été, partout en Europe, les animaux les plus redoutés et les plus pourchassés. Voici quelques-uns des titres d'œuvres qu'ils ont inspirées ; mais nous avons parfois oublié de vous en donner l'auteur : saurez-vous le retrouver ? Caractérisez en quelques adjectifs chacun des Loups qui jouent un rôle dans ces histoires.

AUTEUR	TITRE
1. Jean de La Fontaine	*Le Loup et l'Agneau*
2.	*Le Loup et le Chien*
3.	*Le Roman de Renart*
4.	*La Chèvre de M. Seguin*
5. Charles Perrault	*Le Petit Chaperon rouge*
6.	*Pierre et le Loup*
7.	*Croc-Blanc*
8.	*Contes du chat perché*

Solutions page 221

LA BARBE-BLEUE

Malheur au barbu !

A la page 49, Gustave Doré représente la Barbe-bleue avec un système pileux particulièrement développé.

1. Comment qualifieriez-vous cette barbe ?

2. Et vous, comment l'imaginiez-vous ? Connaissez-vous toutes les barbes que voici : bouc, barbiche, royale, impériale, collier, favoris ?
- Laquelle convient le mieux, selon vous, à la Barbe-bleue ?

3. Voici le nom de quelques barbus célèbres : Moïse, Charlemagne, Henri IV, Napoléon III, Victor Hugo, Nicolas II, Léon Trotsky.
- Comment leur barbe était-elle taillée ?
- Quelle idée la barbe donne-t-elle de leur personnalité ?

4. La barbe figure dans de nombreuses expressions. Connaissez-vous celles-ci ?

A. Au nez et à la barbe de quelqu'un
B. Rire dans sa barbe
C. Une barbe fleurie
D. C'est la barbe !

Au fait, savez-vous ce qu'est une barbe bleue ? C'est tout simplement une barbe si noire et si brillante qu'elle a des reflets bleus. On comprend facilement qu'une barbe très sombre donne un air sévère et effrayant...

La véritable Barbe-bleue

C'est un personnage historique qui a donné naissance au mythe de la Barbe-bleue. Gilles de Retz (1404-1440) fut maréchal de France et connétable sous Charles VII. Il devint compagnon de Jeanne d'Arc avant de se retirer sur ses terres à Tiffauges, en Vendée.
C'est là qu'il se mit à dépenser son immense fortune. Entouré de sorciers, il s'intéressa à la magie noire et à l'alchimie. Il fit enlever des centaines d'enfants qui disparurent pour toujours. Malgré les lourds soupçons qui pesaient sur lui, le maréchal de Retz (on peut aussi écrire

de Rais) ne fut pas inquiété, jusqu'au jour où il osa profaner une église. Il fut alors livré à la justice religieuse et civile et fut finalement exécuté après s'être repenti de ses crimes.

LE MAÎTRE CHAT
OU LE CHAT BOTTÉ

Nom d'un chat !

Bien des expressions mettent en scène un chat. En voici quelques-unes : en connaissez-vous le sens figuré ?
- Jouer au chat et à la souris
- Être comme chien et chat
- Retomber comme un chat sur ses pattes
- Avoir un chat dans la gorge
- C'est de la bouillie pour les chats
- Il n'y a pas un chat
- Avoir d'autres chats à fouetter
- Appeler un chat un chat

Après avoir déterminé le sens figuré de ces expressions, revenez à leur expression imagée : quelle pourrait être l'histoire d'un homme qui aurait un vrai chat dans la gorge ? Comment cela aurait-il pu arriver ? Quels effets comiques ou dramatiques produirait un tel encombrement de la gorge ? Quelle pourrait être la morale de ce fâcheux incident ? Inventez une fable ou un récit à partir de ces expressions imagées prises dans leur sens littéral.

Drôle de Chat

La simple lecture du titre nous avertit que ce Chat n'est pas ordinaire : il se comporte en effet comme un être humain, parlant le langage des hommes, se vêtant à leur manière.

1. Dans quelle autre forme littéraire les animaux sont-ils ainsi capables de faire preuve de sentiments et de comportements humains ?

2. Charles Perrault écrit que, pour attraper des souris, le Chat « se pendait par les pieds » ou « se cachait dans la farine pour faire le mort ». Sauriez-vous raconter plus précisément ces deux curieux épisodes ?

LES FÉES

Qui se ressemble s'assemble

L'auteur précise (p. 73) : « Comme on aime naturellement son semblable, cette mère était folle de sa fille aînée. »

1. Cette affirmation, que traduit le dicton « qui se ressemble s'assemble », vous paraît-elle juste ? On dit aussi que « les extrêmes s'attirent » : cette affirmation-là vous paraît-elle fausse ? Les deux dictons sont-ils contradictoires ?

2. Comment serait un camarade qui aurait un caractère diamétralement opposé au vôtre ? Faites son portrait en quinze ou vingt lignes.

Moralités en vers et en prose

Relisez les deux Moralités de ce Conte (p. 77) qui sont écrites en vers, puis rédigez-les en prose dans le langage d'aujourd'hui. Votre nouvelle version est en quelque sorte une « traduction » puisque vous êtes passé de la langue du XVIIᵉ siècle à celle du XXᵉ siècle. Or, un aphorisme italien dit : *traduttore, traditore* (traduction, trahison), ce qui signifie que tout traducteur trahit nécessairement la pensée de l'auteur. Êtes-vous de cet avis ?

Lorsque vous comparez votre version aux Moralités en vers, avez-vous l'impression d'avoir pu tout traduire ? Ou bien quelque chose s'est-il perdu dans ce passage d'une langue à l'autre ?

CENDRILLON

Est-ce du verre ou du vair ?

La très célèbre pantoufle de verre est à l'origine d'un débat vraiment cocasse : au XIXᵉ siècle, Émile Littré, bien connu pour son *Dictionnaire de la langue française*, conteste que cette pantoufle soit en verre, soutient qu'il s'agit là d'une erreur grossière de l'éditeur qui a pris du vair pour du verre. Bref, pour Littré, comme d'ailleurs pour Balzac, la fameuse pantoufle ne peut être qu'en vair, c'est-à-dire en fourrure d'écureuil de Russie, appelé petit-gris. Et voici le débat ouvert : pour les uns, le vair s'impose car le verre se casse (surtout si l'on marche dessus). Pour les autres, c'est le verre, car dans un Conte de Fées tout est possible.

Saura-t-on un jour de quoi était faite cette pantoufle ? L'écrivain Marcel Schwob, grand ami de Jules Renard, dit : « La pantoufle de verre de Cendrillon, – comme ce verre me paraissait précieux, translucide, délicatement filé... – la pantoufle en étoffe, en vair, je ne la "vois" plus du tout. »

Avez-vous la même impression que lui ? Quelle pantoufle préférez-vous ?

Que d'homonymes !

Laissons là les hypothèses et venons-en aux certitudes : verre et vair sont des homonymes ! Autrement dit, ce sont deux mots qui se prononcent de la même façon bien qu'ils n'aient pas le même sens. Ainsi le mot verre a-t-il cinq homonymes. Vous en connaissez déjà un.

Quels sont les quatre autres ? Attention : des homonymes peuvent s'écrire différemment ou de la même façon. Ainsi le mot « son » (résidu de céréales) a pour homonymes aussi bien « son » (du verbe sonner) que « son » (adjectif possessif) ou « sont » (du verbe être).

Solutions page 221

RIQUET A LA HOUPPE
Métamorphoses et réalités

Si vous avez lu tous les Contes qui précèdent vous avez pu constater que la métamorphose y tient un rôle de première importance : un coup de baguette magique, un don prodigué par une Fée bienveillante suffisent à produire des transformations spectaculaires.

Mais dans ce Conte-ci, Charles Perrault laisse planer un doute sur l'origine du miracle qui transforme Riquet à la Houppe en beau jeune homme : « Quelques-uns assurent que ce ne furent point les charmes de la Fée qui opérèrent, mais que l'amour seul fit cette Métamorphose. » (p. 99)

1. Imaginez qu'au lieu de boiter, de loucher, d'avoir le nez rouge et une bosse, le jeune Riquet ait été bègue, chauve, édenté et ventripotent. Inspirez-vous des réflexions de la Princesse (p. 100) pour changer en grâces ces nouvelles disgrâces.

2. Connaissez-vous d'autres métamorphoses tout à fait naturelles ?

Esprit es-tu là ?

La pauvre Princesse dont Riquet tombe amoureux est d'une beauté remarquable, mais dénuée de « tout esprit ». A votre avis, de quel esprit s'agit-il ?

Entre faire de l'esprit, perdre l'esprit, venir à l'esprit, il y a des nuances à ne pas négliger : dans chacune des propositions suivantes, le mot esprit est employé dans un sens que vous allez tenter de déterminer de façon précise. Puis vous remplacerez le mot « esprit » par un autre de telle sorte que le sens de la phrase n'en soit pas altéré :

1. Monsieur veut sans doute faire de l'esprit.
2. Où avais-je donc l'esprit ?
3. Elle resta un moment allongée puis elle reprit ses esprits.
4. Elle avait l'esprit changeant des capricieux.
5. Je n'ai pas l'esprit à jouer.
6. Elle eut le bon esprit de m'inviter à sa fête.

Solutions page 221

LE PETIT POUCET

Une forêt mal fréquentée

L'essentiel de l'action se déroule dans la Forêt. Les sept enfants du Bûcheron y sont pris, si l'on peut dire, entre deux feux... dévorants : les Loups et les Ogres, seuls habitants du lieu.

a) Mais les temps ont bien changé : les Loups et les Ogres ont déserté les Forêts qui restent, cependant, peuplées de toutes sortes d'animaux. Mais quels sont ces animaux ?

b) Imaginez que vous soyez parti en Forêt sans provisions, pour une expédition de deux ou trois jours avant la rentrée des classes : que pourriez-vous trouver, sur place, pour vous nourrir ? Tout ce que l'on trouve en Forêt est-il comestible ? Auriez-vous des fruits au dessert ? Lesquels ?

Brindilles, broutilles et vétilles

Le langage du XVIIe siècle, dans lequel sont écrits ces Contes, comporte des tournures et un vocabulaire pittoresques qui n'ont certainement pas échappé à votre attention. Ainsi avez-vous pu observer que certains mots ne sont plus usités de nos jours, d'autres ont un sens radicalement différent du sens actuel ; par exemple : broutilles (p. 102), faux-fuyant (p. 109), mortifiés (p. 113), potée (p. 119).

1. Pouvez-vous dire, sans vous reporter à votre livre, le sens ancien de ces mots ?

2. Dans quel sens sont-ils employés aujourd'hui ? Faites une phrase avec chacun d'eux.

Solutions page 221

GRISÉLIDIS

« Quelques critiques, monsieur Perrault... »

Dans la lettre que Charles Perrault joint à *Grisélidis* (p. 159), l'auteur évoque deux conversations qu'il a eues avec différents lecteurs. Certains lui font des critiques, d'autres récusent ces critiques et lui en adressent d'autres. Il finit par considérer que, face à ces avis contradictoires, il ne peut que laisser le Conte dans son état primitif.

Vous allez maintenant imaginer une rencontre avec Charles Perrault au cours de laquelle vous lui expliquerez ce que vous avez aimé et ce que vous avez moins aimé, ou ce que vous avez détesté dans ce Conte. Naturellement, il faudra justifier votre point de vue. Adoptez la forme du dialogue : vous rencontrez l'auteur chez lui, on vous présente, vous commencez à parler, il se défend. N'hésitez pas à critiquer non seulement l'ensemble, mais aussi les détails.

Le métier de Roi

1. Dans les premières pages du Conte, Charles Perrault évoque les devoirs et les charges qui incombent à un Roi.
- Quelles sont les qualités d'un bon Roi ? (p. 128-129)
- Quel est son emploi du temps dans la matinée (p. 129-130) et l'après-midi ? (p. 130-132)
- Qui sont ses courtisans ? Quelle allure ont-ils ? (p. 130 et 137)

2. La Cour et les courtisans jouaient un rôle très important dans la manière de gouverner des Rois de France. C'est parmi les courtisans qu'étaient choisis les conseillers du Roi et la plupart des ministres. L'opinion de la Cour avait une grande importance.

3. Aujourd'hui, quel est l'emploi du temps d'un Président de la République ? Essayez de le reconstituer.
- Qui sont ses principaux collaborateurs ?
- A qui doit-il rendre des comptes ?
- En quoi le style d'une République diffère-t-il de celui d'une Monarchie ?

Les défauts des femmes
et ceux des hommes

Pourquoi le Prince n'aime-t-il pas les femmes ? (p. 131)
Ses reproches vous semblent-ils tous fondés ? Donnez des
contre-exemples que vous connaissez ou dont on vous a
parlé.

1. Changez de point de vue et imaginez maintenant les
critiques qu'on pourrait adresser aux hommes. Quels
seraient leurs défauts principaux ?

2. Racontez la rencontre d'une femme ayant tous les
défauts de Grisélidis avec un homme qui aurait tous les
défauts que vous avez attribués aux hommes : que se
disent-ils ? Tombent-ils amoureux ? Comment vivent-ils
leur amour ?

3. Mettez-vous à la place de Grisélidis : qu'auriez-vous
fait devant la conduite du Prince ? Racontez, dans le
détail, votre réaction et ce qu'elle aurait entraîné. Ce récit
devra être fait à la première personne et comporter environ une page.

Le Prince et la Bergère

La rencontre du Prince et de la Bergère (p. 133) rappelle
les récits que l'on appelait « pastorales » et qui ont été à
la mode jusqu'à la fin du XVIIIᵉ siècle : Marie-Antoinette
s'était même fait installer une ferme au Trianon. La plus
célèbre des pastorales, *L'Astrée* d'Honoré d'Urfé, ne
comptait pas moins de cinq mille pages !

1. Sélectionnez dix mots du vocabulaire « pastoral » (par
exemple : Bergère, ruisseau, troupeau, etc.), puis décrivez,
à votre manière, la découverte du Prince mais en utilisant
les dix mots que vous avez relevés.

2. Sous forme de dessin, peinture, collage, etc., vous
illustrerez cette scène (faites des recherches sur ce thème
en observant les tableaux des XVIIᵉ et XVIIIᵉ siècles).

3. Sur un air que vous connaissez (moderne ou non) composez une chanson dans laquelle le Prince déclare son amour à la belle Bergère. Essayez aussi de faire des rimes, ou au moins des assonnances...

4. Établissez le plan précis, en faisant preuve d'invention, du parcours du Prince, quand il quitte la hutte de la Bergère pour rentrer au Palais. (p. 135) Lorsqu'on traverse les Forêts et les prés, on peut aussi rencontrer des obstacles merveilleux, inhabituels ou dangereux : racontez ces péripéties.

PEAU D'ÂNE

D'un genre à l'autre

Imaginez qu'un metteur en scène conçoive le projet de monter ce Conte pour le théâtre : sa première tâche consisterait à adapter ce texte pour en faire une pièce. Il diviserait le Conte en quatre actes en précisant, pour chacun, les personnages qui entrent en jeu, les lieux où se situe l'action et le moment auquel l'action se déroule (matin, midi, soir, nuit).

Résumez en une dizaine de lignes le texte qui correspond à chacun de ces actes en précisant chaque fois le nom des personnages, le lieu ou les lieux, et les moments de la journée qui vous semblent le mieux convenir :
- Acte I : de la page 164 à la page 167 (4e vers)
- Acte II : de la page 167 (5e vers) à la page 172 (dernier vers)
- Acte III : de la page 173 (1er vers) à la page 177 (14e vers)
- Acte IV : de la page 177 (15e vers) à la fin.

Savez-vous conter ?

Imaginez une Princesse de votre cru, un personnage doté de pouvoirs magiques, un Père étonnant, un jeune Prince, un signe particulier qui permette de reconnaître l'héroïne, et aidez-vous de la structure de ce Conte : avec ces éléments, racontez votre propre histoire comme si vous faisiez une veillée au coin du feu, à la campagne.

Enfin, rédigez ce Conte, en une ou deux pages, puis illustrez-le.

LES SOUHAITS RIDICULES

A vos souhaits !

Si vous aviez trois souhaits à formuler, quels seraient-ils ?

- Formulez trois souhaits qui se complètent et correspondent vraiment à vos désirs.

- Puis imaginez des souhaits qui, à la longue, vous mettent dans une situation difficile et provoquent des catastrophes.

- Ou encore, cherchez des désirs contradictoires qui vous obligeraient à réparer votre erreur : vous pouvez demander à grandir puis, devenu géant, vous seriez obligé de rapetisser, puis de revenir à votre taille normale...

De la ballade au sonnet

Les trois derniers Contes de ce recueil sont en vers. Cela vous a-t-il surpris, amusé, gêné, ému ?

1. Comme les *Fables* de La Fontaine, ces textes sont écrits en vers libres : c'est-à-dire que l'on voit alterner les vers de huit, dix ou douze pieds.
Il existe aussi de nombreuses formes de poèmes dans lesquelles le nombre de pieds, de vers et de strophes, et même l'alternance des rimes, sont imposés.
Connaissez-vous des poèmes à forme fixe ?
- Par exemple, à quelles règles faut-il se plier pour écrire un rondeau, une ballade, un sonnet ?
- Savez-vous exactement compter le nombre de pieds dans un vers ?
- Combien de pieds compte un alexandrin ?
- Comment sont disposées des rimes plates, alternées, croisées ?

3. Recherchez maintenant des exemples de diverses formes, fixes ou non, de poèmes – ce sera votre petite anthologie personnelle. Ces formes correspondent-elles à l'atmosphère du poème ou sont-elles totalement artificielles ?

Vingt questions pour conclure
(p. 79-190)

Avez-vous bien lu les six derniers Contes ? Avez-vous été attentif aux détails grâce auxquels l'auteur crée cet univers particulier des Contes de Fées ? Ou bien votre attention s'est-elle concentrée sur le seul déroulement de l'histoire ? Répondez aux vingt questions suivantes et reportez-vous à la page des solutions pour savoir ce que vous devez penser de votre lecture.

Cendrillon

1. *Dans « Cendrillon » l'héroïne aide ses sœurs à se parer pour le bal :*
A. Elle godronne leurs manchettes
B. Elle dresse leurs cornettes
C. Elle fixe leurs bouclettes

2. *La Marraine transforme en carrosse :*
A. Une courge
B. Une citrouille
C. Un potiron

3. *Elle transforme en chevaux :*
A. Des souris
B. Des lézards
C. Des rats

4. *La pantoufle de Cendrillon est :*
A. En vair
B. En verre
C. En soie

5. *Lors de l'essayage final, la pantoufle va à Cendrillon :*
A. Comme sur mesure
B. Juste comme de cire
C. Comme un gant beurre frais

Riquet à la Houppe

6. *Le don miraculeux accordé au Prince à sa naissance lui permettra de :*
A. Donner de l'esprit à la femme qu'il aimera
B. Devenir aussi beau que celle qu'il aimera
C. Trouver une femme qui ait de l'esprit

7. *L'aînée des deux Princesses est :*
A. Plus fraîche que la rosée
B. Plus belle que le jour
C. Plus douce que la colombe

8. *La belle Princesse et Riquet se rencontrent :*
A. Dans un bois
B. Dans un bal
C. Au bord d'un lac

9. *La belle Princesse promet à Riquet de l'épouser :*
A. Un an plus tard
B. Après Pâques
C. Dans un an et un jour

Le Petit Poucet

10. *Les enfants du couple de Bûcherons sont :*
A. Sept
B. Six
C. Huit

11. *Pendant que le Bûcheron coupe du bois, les enfants ramassent :*
A. Des brindilles
B. Des broutilles
C. Du petit bois

12. *Dans la seconde fin du Conte, le Petit Poucet obtient ses plus grands gains en portant :*
A. Le courrier du Roi
B. Les Lettres des Dames à leurs Amants
C. Les Lettres des femmes à leurs maris

Grisélidis

13. *Le Prince hait les femmes à cause de :*
A. Leur coquetterie
B. Leur infidélité
C. Leur vanité

14. *Pour exprimer sa soumission, Grisélidis dit à son mari :*
A. « Vous êtes mon Époux, mon Seigneur et mon Maître »
B. « Vous êtes mon lion superbe et généreux »
C. « Je suis à vous, Seigneur, et je vous obéis »

15. *Grisélidis et son Père vivent :*
A. Du lait de leurs vaches
B. Du lait de leurs brebis
C. Du lait de leurs chèvres

Peau d'Ane

16. *Les trois robes que la Princesse exige de son Père sont, dans l'ordre :*
A. Couleur de Temps, de Soleil et de Lune
B. Couleur de Lune, de Soleil et de Temps
C. Couleur de Temps, de Lune et de Soleil

17. *Au grand désespoir de ses parents, le Prince amoureux se meurt :*
A. De langueur
B. D'insomnie
C. D'inanition

18. *Comme signe de reconnaissance, un objet a déjà été utilisé dans :*
A. « Riquet à la Houppe »
B. « Les Fées »
C. « Cendrillon »

Les Souhaits ridicules

19. *Le Bûcheron, héros de cette histoire, s'appelle :*
A. Bonhomme
B. Blaise
C. Pascal

20. *Enfin, tous ces Contes ont d'abord été publiés :*
A. Sous le nom de Charles Perrault
B. Sous celui de son fils
C. Sans signature

Solutions page 222

2
JEUX ET APPLICATIONS
Portrait d'un Prince

1. Vous avez sans doute remarqué que Charles Perrault ne décrit jamais ses personnages. C'est tout à fait normal dans la littérature de son temps. Ce n'est qu'à la fin du XVIIIe siècle, avec Jean-Jacques Rousseau, et au XIXe siècle avec les romantiques, que de longues descriptions détaillées feront leur apparition. On appelle cela le goût du pittoresque, qui vient de l'italien *pittore* : peindre.

2. Vous allez pallier cette carence de description en inventant votre Prince charmant, ou votre Princesse idéale.
- Les cheveux seront-ils blonds, bruns ou roux ? raides, bouclés ou crépus ?
- Les yeux ronds, fendus ou en amande ? enfoncés ou saillants ?
- La bouche charnue, lippue, fine ?
- Le nez droit, busqué, aquilin, camus, en pied de marmite ?
- Le front bombé, fuyant ou bas ?

Bien entendu vous pouvez décrire d'autres personnages qu'un Prince ou une Princesse : pourquoi pas Riquet avant et après sa transformation ?

Des chiffres magiques

Le chiffre sept est un chiffre symbolique que l'on retrouve souvent dans les Contes : sept Fées président au Baptême de la Belle au bois dormant, l'Ogre du *Petit Poucet* a des bottes de sept lieues et Blanche-Neige est suivie de sept nains.

Mais le chiffre sept représente aussi des séries de la vie réelle que vous connaissez bien : les sept jours de la semaine, par exemple. Vous savez aussi que l'on dit du cinéma qu'il est le « septième art », mais :
1. Quels sont les six autres ?
2. Quelles sont les sept couleurs de l'arc-en-ciel ?
3. Quels sont les sept péchés capitaux ?
4. Quelles sont les sept merveilles du monde ?

Solutions page 222

Faut-il de tout pour faire un monde ?

Vous avez pu observer que, dans l'univers des contes, les personnages ont des caractères très contrastés. Ils sont beaux ou laids, intelligents ou bêtes, bons ou méchants, doux ou cruels, honnêtes ou malhonnêtes...

1. Attribuez à chacun des personnages suivants cinq des dix qualificatifs énumérés ci-dessus : peu importe que vous ne soyez pas d'accord avec Charles Perrault car, dans ce jeu, c'est votre avis qui compte !

1. Le Petit Chaperon rouge
2. La Belle au bois dormant
3. La Barbe-bleue
4. Le Chat botté
5. Cendrillon
6. Riquet à la Houppe
7. Le Petit Poucet
8. Grisélidis
9. Le mari de Grisélidis
10. Peau d'Ane
11. Le père de Peau d'Ane
12. La femme de la Barbe-bleue

2. Si pour tel ou tel personnage aucun des qualificatifs proposés ne vous semble convenir, trouvez-en d'autres qui expriment votre point de vue.

Les morceaux d'un puzzle

La mémoire est ainsi faite que l'on retient bien mieux une histoire, un événement, ou même un simple nom, si l'on peut relier ces informations nouvelles à ce que l'on connaît déjà : au lieu de s'entasser en vrac dans votre tête comme des morceaux de puzzle dans un sac, vos souvenirs constitueront peu à peu, par ces liens, les motifs d'un immense puzzle. Prenez le temps d'en rapprocher les « morceaux », avant de commencer un nouveau livre, et répondez à ces questions :

1. Charles Perrault est un écrivain de quel siècle : du XVIe ? du XVIIe ? du XVIIIe ?

2. Il a aussi écrit un poème intitulé *Le Siècle de Louis le Grand*. De quel Louis s'agit-il : de Saint Louis ? de Louis XIV ? de Louis XVI ?

3. Parmi les écrivains suivants, il en est un qui n'est pas contemporain de Charles Perrault. Lequel est-ce : Jean Racine ? Molière ? Pierre Corneille ? Jean de La Fontaine ? Honoré de Balzac ?

Des titres métamorphosés

« Et la Fée verra le petit pondu ! » Ce n'est ni une énigme, ni une devinette, ni un message codé, ni le titre d'un nouveau Conte farfelu. Ce n'est que le titre de... *La Petite Pantoufle de verre* métamorphosé. Comment ? C'est très simple : vous prenez toutes les lettres du titre d'un des Contes de Charles Perrault (et uniquement ces lettres) et vous les observez jusqu'à ce que des mots surgissent (comme au jeu du Scrabble) mais des mots tels que toutes les lettres soient réutilisées : l'idéal étant de parvenir à ce que vos mots se suivent de façon amusante.

1. Pour commencer, trouvez les titres qui se cachent sous ces métamorphoses :
- Le bal du bon Roi-matelas
- Le bel abbé rua
- Cher ! Ronge-t-il ta poupée ?

2. A présent, métamorphosez les titres suivants :

- *Le Petit Poucet*
- *Riquet à la Houppe*
- *Les Fées*
- *Les Souhaits ridicules*

PETIT POT DE BEURRE.

Solutions page 223

3
VOYAGE À TRAVERS LES CONTES

Les Contes constituent un genre littéraire un peu particulier ; ils sont en effet issus des traditions populaires. C'est pourquoi on en retrouve les thèmes et les personnages au détour de nombreuses œuvres, même très récentes.

Le Chat botté

Cette version toute récente du Chat botté *reste fidèle à l'histoire originale, mais introduit un humour tout à fait moderne et un peu facétieux !*

« Le lendemain, le Chat ordonna à Jean d'aller nager dans la rivière.

– Mais je ne veux pas ! protesta Jean. L'eau est trop froide.

– Fais-moi confiance, dit le rusé matou. Rappelle-toi que je te rendrai riche et heureux.

Jean finit par obéir et plongea dans la rivière. L'eau était glacée.

– Ce n'est pas comme ça que je deviendrai riche et heureux, cria Jean au Chat, qui était allongé bien au chaud sur la rive.

Le Chat savait que le carrosse royal allait passer par là. Dès que Jean eut le dos tourné, le Chat cacha les guenilles de son maître. Puis il fila sur la grand-route et arrêta le carrosse.

– Au secours ! hurla-t-il. Mon maître, le marquis de Carabas, est en train de se noyer !

Le roi et sa fille, la princesse, sautèrent du carrosse. Le roi fit signe au cocher d'aller secourir le marquis.

– Mon maître a été attaqué par des brigands, dit le Chat. Ils l'ont dépouillé de ses habits de soie et l'ont jeté à l'eau !

Le cocher se précipita au secours de Jean. Le roi fit ouvrir une malle contenant des habits royaux. Le Chat choisit un chapeau à plumes pour lui et des habits de soie pour son maître. (...)

Le roi invita Jean à monter dans son carrosse. La princesse en fut ravie car elle était tombée amoureuse du marquis de Carabas. Pendant ce temps, le Chat continuait la route en galopant. Bientôt, il passa devant des champs de blé où moissonnaient des paysans.

— Écoutez-moi ! cria le Chat d'une voix féroce. Le roi arrive dans son carrosse. Vous lui direz que ces champs appartiennent au marquis de Carabas. Sinon, je reviendrai et vous serez tous hachés menu comme chair à pâté !

— Entendu ! bredouillèrent les moissonneurs effrayés.

Le Chat poursuivit son chemin et rencontra un berger qui gardait un troupeau de chèvres.

— Quand le roi passera, siffla le Chat entre ses canines, vous lui direz que ce troupeau appartient au marquis de Carabas. Sinon, je reviendrai vous arracher un à un tous les poils de la barbe !

— Entendu ! bredouilla le berger en tremblant de la barbe aux pieds.

Le Chat continua sa course à travers les bois et s'arrêta devant un château blanc étincelant. Il marcha droit vers l'entrée et frappa lourdement sur le marteau de la porte. Il lui fallait bien du courage car le propriétaire du château n'était autre que l'Ogre. Et ce fut l'Ogre en personne qui vint ouvrir car il avait mangé tous ses domestiques. (...)

— Salut, Votre Horreur ! dit le Chat avec un sourire narquois. Il y a longtemps que j'avais envie de vous rencontrer. On m'a dit que vous pouviez vous transformer en n'importe quel animal. Moi, je ne le crois pas !

L'Ogre, lui, n'en croyait pas ses oreilles ! Il crachota, toussota, postillonna et piétina de rage.

— Gromph ! grogna-t-il. Si ! Je le peux ! Je vais te le montrer et après, je te croquerai !

Ses cheveux se dressèrent sur sa tête comme une crinière. Et l'Ogre grandit, grandit et... devint un terrible lion rugissant. D'un bond le fauve se jeta sur le Chat, qui se réfugia dans la cheminée.

— Pfft ! feula le Chat. Ce n'est pas bien extraordinaire ! N'importe qui peut grandir... Moi-même, je sais faire le gros dos ! Mais il est plus difficile de rapetisser et de se transformer en petit animal.

Le Chat sortit de son refuge et s'avança vers l'Ogre éberlué.

— Oui, ce serait difficile de se transformer en petite souris, poursuivit le rusé matou d'une voix pateline. Je parie que vous n'y arriverez pas.

– Si... si, bredouilla l'Ogre. J'y arriverai. Mais c'est très difficile de se changer en lion, tu sais...

Et le lion rétrécit, rétrécit et... devint une souris qui couinait. Elle ne couina pas longtemps, la souris.

Car le Chat bondit et l'avala ! »

Tony Ross,
Le Chat botté,
traduction de Marie-Raymond Farré,
© Gallimard

Cendrillon

Les Contes de Grimm et ceux de Perrault sont souvent assimilés ; à tort, car les frères Grimm ont vécu au XIXᵉ siècle. Leurs Contes, repris des versions allemandes, sont plus proches de la tradition populaire. Ils sont aussi nettement plus cruels.

« Le fils du roi ne dansa qu'avec elle, et quand quelqu'un d'autre l'invitait, il disait : "C'est ma cavalière."

Le soir venu, Cendrillon voulut s'en aller et le fils du roi voulut l'accompagner, mais elle lui échappa si vite qu'il ne put la suivre. Seulement, le prince avait usé de ruse et fait enduire de poix tout l'escalier. Alors, comme la jeune fille descendait en sautant, sa pantoufle gauche resta engluée. Le prince la ramassa, elle était petite et mignonne et tout en or. Le lendemain il s'en vint trouver le père et lui dit : "Je ne prendrai pour épouse que celle qui pourra chausser cette chaussure d'or." Alors les deux sœurs se réjouirent, car elles avaient de jolis pieds. L'aînée alla dans sa chambre avec la pantoufle pour l'essayer, et sa mère était là. Mais elle ne put y faire entrer son gros orteil, le soulier était trop petit pour elle, alors sa mère lui tendit un couteau et lui dit : "Coupe-toi le doigt ; quand tu seras reine, tu n'auras plus besoin d'aller à pied." La jeune fille se coupa l'orteil, força son pied à entrer dans la chaussure et alla retrouver le prince. Alors il la prit sur son cheval comme sa fiancée et partit avec elle. (...)

Alors le prince regarda le pied et vit que le sang en coulait. Il tourna bride, ramena la fausse fiancée chez elle, dit que ce n'était pas la bonne et qu'il fallait que l'autre sœur essayât le soulier. »

Jacob et Wilhelm Grimm,
Contes,
traduction de Marthe Robert,
© Gallimard

La Fugue du petit Poucet

M. Poucet, bûcheron, a décidé de quitter la campagne pour un appartement à Paris. Dans ce conte, c'est le petit Poucet qui décidera de partir ; par la suite, il sera accueilli dans la forêt par M. et Mme Logre...

« – Ça, mes enfants, c'est la vie moderne, insiste Poucet. Faut s'adapter ! Vous ne voulez tout de même pas qu'on moisisse éternellement dans cette campagne pourrie ! D'ailleurs le président de la République l'a dit lui-même : "Il faut que Paris s'adapte à l'automobile, un certain esthétisme dût-il en souffrir."

– Un certain esthétisme, c'est quoi ? (...)

– L'esthétisme, l'esthétisme... euh... eh bien, c'est les arbres ! finit-il par trouver avec soulagement. "Dût-il en souffrir", ça veut dire qu'il faut les abattre. Tu vois, fiston, le président, il faisait allusion comme ça à mes hommes et à moi. Un bel hommage aux bûcherons de Paris. Et un hommage mérité ! Parce que sans nous, hein, les grandes avenues et les parkings, pas question avec tous ces arbres. C'est que Paris, sans en avoir l'air, c'est plein d'arbres. Une vraie forêt, Paris ! Enfin, c'était... Parce qu'on est là pour un coup, nous les bûcherons. Une élite, oui. Parce que, pour la finition, on est orfèvres, nous. Tu crois que c'est facile d'abattre un platane de vingt-cinq mètres en pleine ville sans rien abîmer autour ?

Il est lancé. Plus rien ne l'arrêtera. Mme Poucet se lève pour faire la vaisselle, tandis que Pierre fixe sur son père un regard figé qui simule une attention passionnée.

– Les grands peupliers de l'île Saint-Louis et ceux de la place Dauphine, en rondelles de saucisson qu'il a fallu les couper, et descendre les billots un par un avec des cordes. Et tout ça sans casser une vitre, sans défoncer une voiture. (...)

– Et mes bottes ?

– Quelles bottes ?

– Celles que tu m'avais promises pour Noël ?

– Des bottes, moi ? Oui, bien sûr. Des bottes, c'est très bien pour patauger dans le jardin. Mais dans un appartement, c'est pas possible. Et les voisins du dessous, qu'est-ce qu'ils diraient ? »

Michel Tournier,
Sept Contes,
© Gallimard

Les Bottes de sept lieues

Dans la vitrine d'une boutique de quartier, Frioulat et sa bande repèrent une paire de bottes qui ne sont autres que les fameuses bottes de sept lieues, grâce auxquelles ils imagineront de merveilleuses aventures.

« C'était une boutique étroite, dont la peinture semblait avoir été grattée et qui ne portait aucune inscription. En revanche, il y avait dans l'étalage de nombreuses pancartes. La plus importante était ainsi rédigée : "Occasions pour connaisseurs." Une autre. "La maison ne fait crédit qu'aux gens riches." Chacun des objets en montre était accompagné d'une référence historique des plus suspectes, tracée sur un rectangle de carton. "Bureau champêtre de la reine Hortense" désignait une petite table de cuisine en bois blanc, rongée par l'eau de Javel. Il y avait le moulin à café de la du Barry, le porte-savon de Marat, les charentaises de Berthe au grand pied, le chapeau melon de Félix Faure, le tuyau de pipe de la reine Pomaré, le stylographe du traité de Campo-Formio, et cent autres choses illustrées dans le même esprit – jusqu'à l'enveloppe de cuir d'un ballon de football qui était donnée comme un "faux-semblant ayant appartenu à la papesse Jeanne". Les écoliers n'y entendaient pas malice et ne doutaient nullement que le marchand eût réuni dans son bric-à-brac les modestes dépouilles de l'histoire. Le stylographe de Campo-Formio les étonnait vaguement, mais les lueurs qu'ils possédaient sur ce fameux traité étaient incertaines. Surtout l'idée ne leur fût pas venue qu'un commerçant pouvait se livrer à des facéties dans l'exercice de son négoce. Toutes ces références écrites de sa main étaient nécessairement vraies, aussi vraies qu'une chose imprimée, et constituaient une garantie d'authenticité. Mais ce n'était pas pour admirer des souvenirs historiques que la bande organisait ses lointaines expéditions. Un seul objet au milieu de la vitrine retenait l'attention passionnée des six écoliers. C'était une paire de bottes qu'accompagnait également une petite pancarte sur laquelle on lisait ces simples mots : "Bottes de sept lieues" et auxquelles le traité de Campo-Formio, les Marat, Félix Faure, Napoléon, Louis-Philippe et autres grandes figures de l'histoire conféraient une autorité presque incontestable. Peut-être les six enfants ne croyaient-ils pas positivement qu'il eût suffi à l'un d'eux de chausser ces bottes pour franchir sept lieues d'une seule enjambée. Ils soupçonnaient même que l'aventure du Petit Poucet n'était qu'un conte, mais n'en ayant pas la certitude, ils composaient facilement avec leurs soupçons. Pour être en règle avec la vraisemblance, peut-être aussi pour ne pas s'exposer à voir la réalité leur infliger un démenti, ils admettaient que la vertu de ces bottes de sept lieues s'était affaiblie ou perdue avec le temps. En tout cas, leur authenticité ne faisait aucun doute. C'était de l'histoire, et toute la boutique était là pour l'attester. »

Marcel Aymé,
Le Passe-muraille,
© Gallimard

Tous les géants sont-ils bien morts ?

Voici un passage d'un roman typiquement britannique, dans lequel on voit les princesses devenues de vieilles dames comme il faut, et les héros des aubergistes maniaques.

« Pendant que le laquais entrait avec des plateaux et des tables roulantes garnies de pâtisseries, James s'approcha de Mildred et lui murmura quelque chose à l'oreille. Elle eut un petit rire de reproche, puis lui tapota la main. La dame blonde la regarda d'un air interrogateur.

— James aimerait tant savoir, expliqua Mildred, ce que vous avez fait du dragon.

La dame blonde eut l'air fort surpris.

— Le dragon ? Mais nous l'avons jeté, naturellement. Il n'y a rien que l'on puisse faire d'un dragon. Même les chiens n'y toucheraient pas.

— Moi, ça m'aurait plu, dit James.

— Non, mon enfant, ces animaux sont pleins de soufre et de Dieu sait quoi d'autre. Et leur peau se craquelle comme un gâteau une fois sèche...

— Quel dommage ! dit Mildred.

— Eh oui. Ce cher Beau a bien pensé un jour à mettre sur pied une petite entreprise : une exploitation sur un petit pied, pourrait-on dire – c'était dans le bon vieux temps, lorsque ces animaux foisonnaient. Il voulait faire des flèches avec les piquants et traiter les peaux. Mais le projet n'a jamais abouti. Et puis, il y avait le problème du stockage.

– C'est évident, dit Mildred.

– Avez-vous jamais contemplé un dragon adulte ? Un dragon en pleine maturité ?

– Non, dit Mildred, en fait je n'en ai jamais vu de semblable. Pas à l'âge adulte, ajouta-t-elle sur un ton d'excuse.

– Dans ce cas, il faut me croire sur parole si je vous dis qu'un vraiment beau spécimen adulte – à nouveau la dame blonde regarda par la fenêtre en clignant des yeux – est aussi grand que cette cour à laquelle on ajouterait cette allée plantée d'arbres. Comme vous pouvez le constater, poursuivit-elle, tandis que James et Mildred venaient près d'elle, que pouvait donc faire ce pauvre Beau avec quatre animaux de cette espèce sur les bras ? Et par-dessus le marché en pleine saison chaude ? (...)

– Beau est rempli d'enthousiasme pour tout, au départ, dit la dame brune qui s'était approchée de la table à thé. Mildred prend-elle du lait et du sucre ?

– Pas de thé pour moi, merci, s'empressa de répondre Mildred. Nous ne pouvons vraiment pas nous attarder.

Mildred traversa l'antichambre d'un pas vif, sans accorder la moindre attention aux courtisans. Certains d'entre eux leur jetèrent un regard oblique, puis, leur tournant le dos, reprirent leurs chuchotements. James, très embarrassé, le regard droit devant lui, pressait le pas pour rester à la hauteur de Mildred. Elle avait pris un air heureux et important, et quelque chose dans son expression donnait à croire qu'un secret restait encore à être dévoilé. Ils débouchèrent dans la brillante lumière de la terrasse supérieure ; elle se tourna vivement vers James et lui dit en lui prenant le bras.

– Alors, sais-tu bien qui sont ces dames ?

James secoua la tête, tout en jetant, mal à l'aise, un coup d'œil aux hallebardiers qu'il trouvait assez près d'eux pour entendre leurs propos.

– Sais-tu que Boofy et Beau étaient autrefois la Belle et la Bête ? – Elle chuchotait et sa voix n'était qu'un murmure excité. – La dame appelée Pumpkin fut jadis Cendrillon. Et Belle, naturellement, la dame qui jouait aux cartes, autrefois fut la Belle au bois dormant. »

Mary Norton,
Tous les géants sont-ils bien morts ?
traduction de Monique Poublan,
© Gallimard

4
SOLUTIONS DES JEUX

Avez-vous des dons de conteur ?
(p. 193)

Si vous avez une majorité de ○ : vous vous laissez volontiers emporter par votre imagination et vous croyez peut-être encore au Père Noël. Vous avez le goût de l'évasion dans le rêve et vous savez intéresser votre entourage à vos découvertes réelles ou imaginaires.

Si vous avez une majorité de △ : vous n'acceptez de vous aventurer hors du réel qu'avec précaution mais le rêve reste pour vous un refuge plein d'attraits. Si vous avez une certaine aptitude à raconter, vous le faites sans fabulation excessive.

Si vous avez une majorité de □ : vous avez surtout l'esprit pratique, le sens des réalités et les Contes n'ont pour vous que peu d'attrait : loin de vous l'idée d'en écrire !

Vingt questions pour commencer
(p. 194)

1 : A (p. 21) - 2 : B (p. 23) - 3 : C (p. 32) - 4 : A (p. 41) - 5 : B (p. 22) - 6 : B (p. 43) - 7 : B (p. 44) - 8 : C (p. 46) - 9 : A (p. 47) - 10 : B (p. 48) - 11 : C (p. 52) - 12 : B (p. 50-52) - 13 : A (p. 55) - 14 : A (p. 61) - 15 : A (p. 62) - 16 : C (p. 66) - 17 : A (p. 70) - 18 : B (p. 72) - 19 : A (p. 73) - 20 : C (p. 41)

Si vous obtenez de 15 à 20 bonnes réponses : les *Contes* de Perrault n'ont pratiquement plus de secrets pour vous. Votre attention et votre mémoire sont dignes de tous les éloges et vous méritez un prix de lecture !

Si vous obtenez de 10 à 14 bonnes réponses : c'est un score tout à fait honorable. Il vous reste peu d'efforts à fournir pour retirer de vos lectures un bénéfice maximal. Votre plaisir en sera accru d'autant.

Si vous obtenez de 5 à 9 bonnes réponses : il est probable que vous avez lu en diagonale. Mais c'est une méthode qui n'est pas à conseiller : tout comme on dit d'un travail bâclé qu'il n'est ni fait ni à faire, ce livre n'est pour vous ni lu ni à lire. Tirez-en la leçon pour votre prochain livre.

Si vous obtenez moins de 5 bonnes réponses : sans doute vous êtes-vous contenté de feuilleter votre livre en rêvant au miracle qui vous aurait tout appris de ces Contes sans prendre la peine de les lire. Mais que raconterez-vous à vos enfants quand vous serez grand ?

Histoires de Loups

(p. 197)

2. Jean de La Fontaine - 3. Anonyme - 4. Alphonse Daudet - 6. Serge Prokofiev - 7. Jack London - 8. Marcel Aymé

Que d'homonymes !

(p. 201)

Les homonymes de verre sont : vair, vert (couleur), vers (préposition), ver (de terre), vers (poétique).

Esprit es-tu là ?

(p. 202)

On remplace « esprit » par :
1. Monsieur veut sans doute faire *le malin*.
2. Où avais-je donc *la tête* ?
3. ... puis elle reprit *connaissance*.
4. Elle avait le *caractère* changeant des capricieux.
5. Je n'ai pas *l'humeur* à jouer.
6. Elle eut la bonne *idée* de m'inviter à sa fête.

Brindilles, broutilles et vétilles

(p. 203)

1. Broutilles : petites branches (p. 102) - Faux-fuyant : chemin écarté et secret (p. 109) - Mortifiés : rendus plus tendres (p. 113) - Potée : contenu d'un pot (p 119)

2. Broutilles : objets sans valeur - Faux-fuyant : moyen détourné par lequel on évite de s'expliquer - Mortifiés : qui souffrent cruellement - Potée : plat composé de viande bouillie et de légumes variés.

Vingt questions pour conclure
(p. 208)

1 : A (p. 80) - 2 : B (p. 81) - 3 : A (p. 81) - 4 : B (p. 82) - 5 : B (p. 88) - 6 : A (p. 91) - 7 : B (p. 91) - 8 : A (p. 93) - 9 : A (p. 94) - 10 : A (p. 101) - 11 : B (p. 102) - 12 : B (p. 121) - 13 : B (p. 129) - 14 : A (p. 151) - 15 : B (p. 136) - 16 : C (p. 167, 168, 170) - 17 : A (p. 176) - 18 : C (p. 87) - 19 : B (p. 187) - 20 : B (p. 2)

Si vous obtenez de 15 à 20 bonnes réponses : la lecture est sans doute pour vous un plaisir sans mélange. Tout retient votre attention, vous ne négligez rien et, comme tout se tient, il est probable que votre orthographe soit aussi bonne que votre lecture.

Si vous obtenez de 10 à 14 bonnes réponses : vous n'avez pas su maintenir d'un bout à l'autre la même attention mais votre score reste tout à fait honorable.

Si vous obtenez de 5 à 9 bonnes réponses : peut-être n'avez-vous pas fait l'effort de lire tous les Contes jusqu'au bout ? Vous êtes-vous arrêté en chemin ? Reprenez votre livre d'ici quelque temps : vous serez étonné de trouver de l'agrément à ce qui vous avait d'abord rebuté.

Si vous obtenez moins de 5 bonnes réponses : ou bien vous avez lu, de vos yeux lu, mais votre esprit était ailleurs, ou bien les Contes de Fées ne sont pas votre genre de prédilection, ou encore vous avez un préjugé contre Charles Perrault et vous avez fait semblant de le lire.

Des chiffres magiques
(p. 210)

1. Les six autres arts : peinture, sculpture, architecture, musique, poésie, danse.

2. Les sept couleurs de l'arc-en-ciel : rouge, orangé, jaune, vert, bleu, indigo, violet.

3. Les sept péchés capitaux : avarice, colère, envie, gourmandise, luxure, orgueil, paresse.

4. Les sept merveilles du monde : les pyramides d'Égypte, les jardins suspendus de Babylone, la statue de Zeus à Olympie, le colosse de Rhodes, le mausolée d'Halicarnasse, le temple de Diane à Éphèse, le phare d'Alexandrie.

Les morceaux d'un puzzle
(p. 211)

1. Charles Perrault est un écrivain du XVIIe siècle.

2. Il s'agit de Louis XIV.

3. Le seul écrivain cité qui ne soit pas contemporain de Charles Perrault est Honoré de Balzac.

Des titres métamorphosés
(p. 212)

1. - *La Belle au bois dormant*
   - *La Barbe-bleue*
   - *Le Petit Chaperon rouge*

2. - Et tout pic pelé
   - Ah ! Que la poupe rit !
   - Fesse-le !
   - Si la clé des huit souris

Mais ce ne sont pas les seuls possibles : vous pouvez en trouver d'autres.